De la tétée à la cuillère

Bien nourrir mon enfant de 0 à 1 an

La Collection de l'Hôpital Sainte-Justine
pour les parents

De la tétée à la cuillère

Bien nourrir mon enfant de 0 à 1 an

Linda Benabdesselam
Stéphanie Ledoux
Louise Mercier
Micheline Poliquin
Lise Primeau
Danielle Régimbald
Marie-Claude Riel
Marthe Robitaille
Karine Tessier

Éditions de l'Hôpital Sainte-Justine
Centre hospitalier universitaire mère-enfant

Catalogage avant publication de la Bibliothèque nationale du Canada

Vedette principale au titre:

De la tétée à la cuillère: bien nourrir mon enfant de 0 à 1 an

(La collection de l'Hôpital Sainte-Justine pour les parents)
Comprend des réf. bibliogr.

ISBN 2-922770-86-9

1. Nourrissons - Alimentation. 2. Mères - Alimentation. 3. Aliments pour nourrissons. 4. Nourrissons - Santé et hygiène. I. Benabdesselam, Linda. II. Hôpital Sainte-Justine. III. Collection: Collection de l'Hôpital Sainte-Justine pour les parents.

RJ216.D4 2004 613.2'083'2 C2004-940237-4

Illustration de la couverture: Frédéric Normandin

Infographie: Nicole Tétreault

Diffusion-Distribution au Québec: Prologue inc.
en France: CEDIF (diffusion) Casteilla (distribution)
en Belgique et au Luxembourg: S.A. Vander
en Suisse: Servidis S.A.

Éditions de l'Hôpital Sainte-Justine (CHU mère-enfant)
3175, chemin de la Côte-Sainte-Catherine
Montréal (Québec) H3T 1C5
Téléphone: (514) 345-4671
Télécopieur: (514) 345-4631
www.hsj.qc.ca/editions

ISBN 2-922770-86-9

Dépôt légal: Bibliothèque nationale du Québec, 2004
Bibliothèque nationale du Canada, 2004

La boisson dont on ne se lasse jamais est l'eau
et le fruit dont on ne se lasse jamais est l'enfant.

(Proverbe amérindien)

Remerciements

À Diane Decelles, chef professionnelle en nutrition clinique à l'Hôpital Sainte-Justine, chargée de cours à l'Université de Montréal. Ses commentaires précieux lors de la lecture du livre et son soutien moral dans les moments difficiles ont permis d'enrichir cet ouvrage.

À Lise Michel, diététiste à la retraite qui a démarré ce projet de publication.

À Marie-Noël Primeau, pédiatre, immunologiste, allergologue à la Clinique d'allergologie de l'Hôpital Sainte-Justine, pour avoir relu le chapitre sur les allergies.

À Geneviève Chabot, ergothérapeute à l'Hôpital Sainte-Justine qui a gracieusement offert son expertise dans le domaine du développement du bébé.

À Sophie Tremblay et Nathalie Barrette, pour leur soutien en secrétariat.

À Catherine Ross et Malika Derfoul, mamans, pour leurs commentaires constructifs sur les textes.

Table des matières

Préface

Les connaissances concernant la nutrition évoluent très rapidement, en accord avec les progrès scientifiques.

Les jeunes mères préoccupées par la santé et la croissance de leur nourrisson trouveront dans cet ouvrage tous les renseignements utiles à la poursuite d'un allaitement réussi qui assurera, non seulement une nutrition optimale, mais également les conditions d'un échange interactif avec l'enfant, si propice à son développement.

Elles trouveront aussi toutes les informations très détaillées du passage progressif à une alimentation élargie permettant là encore de combler les besoins de l'enfant, en accord avec les données récentes.

Toutes les informations présentées sont le reflet des connaissances actuelles en nutrition et, à ce titre, représentent pour les jeunes mères une garantie de sécurité. Les nutritionnistes qui ont présenté les informations exactes de cet ouvrage ont eu à cœur de donner également des conseils pratiques qui les rendent accessibles et agréables dans le quotidien.

Gloria Jeliu,
pédiatre, CHU mère-enfant Sainte-Justine

AVANT-PROPOS

Bébé est arrivé, quelle joie! Comme parents, vous voulez offrir le meilleur de vous-mêmes à ce petit être afin qu'il puisse grandir et se développer en santé. Mais voilà, du côté de l'alimentation, beaucoup de questions vous viennent à l'esprit: «Quels sont les avantages de l'allaitement? Comme mère, devrais-je manger pour deux afin de fournir plus de lait? Quels aliments devrais-je consommer pendant la période de l'allaitement? Bébé est-il prêt à débuter les solides? Par quoi commencer? Fruits? Céréales? Viandes? Légumes? Que devons-nous savoir à propos de la physiologie de notre bébé, du développement de ses goûts, des allergies alimentaires, des coliques, de la constipation, du végétarisme...

Cet ouvrage se propose de vous apporter une documentation scientifique récente et détaillée sur la nutrition du bébé né en santé. Tous les principes qui doivent guider l'alimentation de bébé, de même que ceux de la femme qui allaite, y sont présentés et expliqués.

À titre de diététistes et de mères, nous avons pensé utiliser notre expertise, notre expérience et notre pratique quotidienne afin vous aider à trouver des réponses à vos questions.

Bonne lecture!

Chapitre 1

L'allaitement[1]

Vous allez bientôt accoucher et peut-être vous demandez-vous encore si vous allaiterez votre bébé ou si vous lui offrirez plutôt une préparation lactée pour nourrissons.

Pour prendre une décision éclairée, il est primordial de connaître d'abord et avant tout les multiples facettes de l'allaitement maternel comparées à l'utilisation des nombreuses préparations pour nourrissons existant sur le marché.

Les bienfaits de l'allaitement

Aujourd'hui, l'allaitement maternel est considéré comme étant le mode d'alimentation privilégié pour tous les enfants nés à terme ou prématurément et ce, durant toute leur première année de vie. Seules quelques exceptions ne peuvent en profiter. C'est le cas des nourrissons souffrant de galactosémie[2] et de ceux dont la mère reçoit des traitements de radiothérapie ou de chimiothérapie, est porteuse du VIH ou atteinte d'une tuberculose active non traitée.

---

1. À consulter: Gauthier, Dany. *L'allaitement maternel*, 2e édition. Montréal: Éditions de l'Hôpital Sainte-Justine, 2002. 104 p. (Collection de l'Hôpital Sainte-Justine pour les parents)

2. Maladie héréditaire caractérisée par l'absence d'une enzyme permettant la transformation du galactose en glucose.

La composition du lait maternel est unique en son genre car elle s'ajuste en fonction de la croissance et des besoins de chaque enfant. Le lait maternel contient des anticorps et de nombreuses substances protectrices qu'on ne trouve pas dans la préparation lactée pour nourrissons. Il est prouvé que lorsqu'il est donné exclusivement durant les six premiers mois de vie, le lait maternel peut, à lui seul, réduire les risques d'allergies (chez les enfants avec antécédents familiaux) et d'otite moyenne. Il protège également les nourrissons contre diverses infections gastro-intestinales et respiratoires, en plus d'améliorer leur développement cognitif et moteur.

On ne peut non plus passer sous silence tous les bénéfices économiques, pratiques et écologiques de l'allaitement maternel. En effet, jusqu'à l'introduction des solides, l'enfant sera très bien nourri sans qu'il en coûte un sou! Le lait sera disponible rapidement, à n'importe quel moment du jour et toujours à la bonne température. De plus, aucune récupération de déchets ne devra être faite. Imaginez tout le temps gagné!

La maman elle-même y gagne au change! Perte de poids graduelle, repositionnement plus rapide de l'utérus (pertes de sang moins importantes), diminution de la dépression post-partum, sans parler de la réduction de l'incidence de certaines maladies telles que l'ostéoporose, le cancer des ovaires et le cancer du sein avant la ménopause.

Outre ses avantages pratiques et physiques, il faut souligner tout l'aspect émotif de l'allaitement maternel. Ce lien intime qui unit la mère et son enfant génère des sentiments de réconfort, de confiance et d'amour aussi importants et satisfaisants pour le bébé que pour sa maman.

L'allaitement apparaît comme un art, une expérience unique et enrichissante, reflétant l'idéal ou le désir intense d'une mère dont la préoccupation première est d'assurer une nutrition optimale à son enfant.

Cependant, allaiter n'est pas inné pour toutes les mamans ! Pour certaines, c'est un véritable apprentissage. Ces dernières auront besoin davantage de soutien et d'encouragement de la part de leur proches, du personnel soignant des hôpitaux ainsi que des mères expérimentées qui travaillent au sein d'organismes bénévoles. Mettre le bébé au sein paraît si simple et pourtant, nombreuses sont les mamans qui abandonnent l'allaitement au cours des trois premiers mois. Il ne faut donc pas hésiter à utiliser les ressources disponibles le plus tôt possible, car un bon départ est un gage de succès.

L'expression et la conservation du lait maternel

Plusieurs mamans ressentent un certain malaise à extraire leur lait car l'image qui s'en dégage n'est pas naturelle et plutôt embarrassante !

Il faut reconnaître que l'expression du lait est un geste plutôt froid, mais combien pratique et souvent nécessaire. Ainsi, la mère peut récupérer du sommeil, s'offrir une petite sortie ou encore envisager la possibilité d'un retour au travail pendant que le père ou un proche donnera le biberon de lait recueilli au petit poupon affamé. En plus de « libérer » la maman, ce moment privilégié permettra au papa de se rapprocher de son enfant.

Mais comment procéder ? On trouve sur le marché toute une panoplie de tire-lait manuels ou électriques. Selon les informations recueillies auprès de mères utilisatrices, les tire-lait manuels à une main ou à piston, de même que les tire-lait électriques automatiques à double expression se démarqueraient avantageusement des autres.

Un tire-lait peut être efficace pour une maman et ne pas l'être pour une autre. Cela dépend de l'utilisation qu'on en fait et du temps d'entraînement qu'on est prête à y consacrer. Si vous n'êtes pas certaine de votre choix, parlez-en à un professionnel de la santé. Il vous prodiguera certainement de judicieux conseils.

La mère qui exprime son lait doit le faire efficacement car elle risque de se fatiguer ou de se blesser. Elle doit donc s'assurer que son mamelon soit bien centré dans la coupole du tire-lait et qu'il n'est pas trop volumineux pour le tunnel qui l'entoure. En vidant complètement ses deux seins, elle diminuera les risques de mastite, de gerçures, de crevasses ou, tout simplement, elle ressentira moins de douleur. La quantité de lait produite sera maximale et pourra donc répondre à la demande grandissante de l'enfant.

Selon de nombreuses recherches, le lait maternel contient des substances qui le protégeraient de la contamination bactérienne. Il pourrait ainsi se conserver beaucoup plus longtemps que les préparations pour nourrissons.

Comme tout aliment qu'on manipule, le lait maternel doit être exprimé selon certaines règles d'hygiène afin d'en conserver toutes les propriétés :

- bon lavage de mains avant l'expression du lait ;
- la propreté de tous les accessoires et des récipients ;
- la qualité des récipients utilisés pour recueillir le lait ;
- un étiquetage indiquant la date d'expression sur le contenant ;
- l'observation des températures de conservation du lait ;
- l'observation des règles de décongélation.

Le lavage des mains

De nombreuses infections sont transmises par les mains. Bien se laver les mains n'est pourtant pas sorcier ! Prendre quelques minutes pour se les laver avant d'exprimer son lait peut éviter bien des désagréments à votre bébé !

La propreté de tous les accessoires et des récipients

Tous les accessoires du tire-lait, les récipients, biberons, tétines et autres ustensiles doivent être lavés à l'eau chaude savonneuse, bien rincés, puis séchés à l'air libre ou essuyés avec un linge propre. On les entrepose, par la suite, dans un espace propre. Il n'est pas nécessaire de les stériliser.

Le choix dans la qualité des récipients

Peu d'études sont concluantes en ce qui a trait au choix des récipients à utiliser pour recueillir le lait exprimé. Par contre, il semble que le verre soit le matériau offrant la meilleure conservation du lait maternel pour les raisons suivantes :

- son faible degré de porosité permet de conserver les diverses substances protectrices dans le lait plutôt que sur les parois du contenant ;
- les contenants de verre sont habituellement munis d'un couvercle solide assurant une excellente étanchéité ;
- la durée de conservation permettant de maintenir la fraîcheur du lait sera plus longue tout en préservant le plus d'éléments protecteurs possible.

L'utilisation du verre sera souhaitable lorsque la source principale de nourriture du bébé sera surtout constituée de lait maternel exprimé.

Une maman qui exprime son lait occasionnellement ou qui désire le conserver sur une courte période peut utiliser d'autres types de récipients. Les contenants en plastique rigide clair (fait de polycarbonate) ou semi-transparent (fait de polypropylène) devront être scellés avec un couvercle fait d'une seule pièce, assurant ainsi une bonne étanchéité. Plusieurs mamans préféreront employer des sacs jetables en plastique stérilisés, conçus spécialement pour la congélation du lait maternel. Occupant moins d'espace et nécessitant moins de manipulations, ces sacs devront être fermés le plus hermétiquement possible afin d'éviter les fuites qui pourraient contaminer le lait.

L'étiquetage

Si le lait est congelé, il faut prendre soin de bien indiquer la date de l'expression du lait sur le récipient. Ceci permettra d'assurer une bonne rotation pour maintenir toute la qualité du lait.

Les températures et durées de conservation du lait maternel

Température	Durée de conservation
À la température ambiante	
19 °C à 22 °C (66 °F à 72 °F)	10 h
25 °C(79 °F)	4 à 6 h
Au réfrigérateur	
0 °C à 4 °C (32 °F à 39 °F)	3 à 5 jours
Au congélateur	
congélateur situé à l'intérieur du réfrigérateur	2 semaines
congélateur séparé (température variable)	3 à 4 mois
congélateur horizontal (température constante -19 °C (0 °F))	> 6 mois

Ces recommandations s'appliquent lorsque les règles d'hygiène ont été bien suivies et que le bébé est né à terme et en santé. En général, les centres hospitaliers conservent le lait maternel au réfrigérateur durant 24 heures et le lait congelé le moins longtemps possible, de manière à garder le maximum de substances protectrices.

Précautions particulières

Tout le lait exprimé durant 24 heures peut être gardé dans le même récipient si le lait déjà extrait a été conservé à une température se situant entre 0 °C et 15 °C.

Le lait fraîchement exprimé peut être ajouté à du lait congelé à condition de le faire refroidir préalablement et qu'il y ait moins de lait à ajouter que de lait déjà congelé.

Le lait maternel est précieux, il ne faut pas le gaspiller! Ainsi, il est conseillé de ne congeler que de petites quantités de lait à la fois car la décongélation et le réchauffement sont plus rapides. De plus, la perte de lait sera moins grande si le bébé ne boit pas tout.

Les règles de décongélation

Le lait maternel devrait être décongelé sous un filet d'eau, d'abord froide, puis chaude. On vérifie la température du lait en laissant tomber quelques gouttes sur le poignet. Si aucune sensation de chaleur ou de froid n'est perçue, c'est que la température du lait est idéale.

En aucun cas, le lait ne devrait être décongelé dans un four à micro-ondes ou dans une casserole d'eau bouillante sur la cuisinière, car les substances protectrices du lait sont détruites à une température élevée.

Après avoir été décongelé, le lait maternel peut être conservé au réfrigérateur durant 24 heures et ne peut être congelé de nouveau.

Il ne faut pas s'inquiéter si le lait décongelé se divise en deux parties, soit le lait et la crème. Ce phénomène est tout à fait normal car le lait n'est pas homogénéisé. Il suffit de le brasser pour l'uniformiser.

La couleur et l'odeur variables du lait maternel

Parfois, un aliment, un colorant, un supplément de vitamines ou un médicament ingéré par la mère peut changer la couleur de son lait. Il peut devenir bleuté, jaunâtre et parfois même brunâtre. Habituellement, il n'y a pas lieu de s'inquiéter.

Une légère odeur de savon peut aussi se dégager du lait décongelé. Cette odeur serait attribuable à des changements dans les matières grasses du lait, causés par la conservation du lait dans un réfrigérateur ou un congélateur à dégivrage automatique. Il ne serait pas nuisible pour le bébé.

Les suppléments de vitamines et minéraux pour les bébés allaités

Fluor

La fluoration de l'eau est la méthode la plus efficace pour prévenir la carie dentaire. Cependant, compte tenu de l'augmentation de cas de fluorose, soit une décoloration des dents en formation causée par une absorption excessive de fluor, les suppléments de fluor ne sont plus recommandés qu'aux enfants allaités, âgés de 6 mois à 3 ans et habitant les régions où le taux de fluor dans l'eau potable est inférieur à 0,3 ppm (partie par million).

Prenez des informations auprès de votre municipalité car aucun supplément de fluor ne sera nécessaire si l'eau potable de votre quartier est déjà fluorée.

Fer

Un bébé né à terme et allaité au sein n'a généralement pas besoin de supplément de fer car ses réserves seront suffisantes jusqu'à l'âge de six mois, moment où l'introduction d'aliments solides et riches en fer viendront combler ses besoins grandissants.

Les bébés prématurés ont parfois besoin d'un supplément avant l'introduction des solides, car ils n'ont pas eu le temps de se constituer une réserve suffisante avant leur naissance.

Vitamine D

Une carence en vitamine D entraîne de graves séquelles, à la fois aiguës et de longue durée, mais facilement évitables.

Le lait maternel n'est pas une source sûre de vitamine D. Il est recommandé de donner un supplément de cette vitamine à tous les nourrissons nés à terme et allaités, jusqu'à ce que leur régime alimentaire leur procure toute la vitamine D dont ils ont besoin.

Les besoins particuliers du bébé prématuré

Les enfants nés prématurément, soit avant 37 semaines de grossesse, peuvent démontrer une immaturité de plusieurs systèmes vitaux, soient les systèmes respiratoire, gastro-intestinal, cardiovasculaire et rénal.

Contrairement au bébé né à terme et en santé, le bébé prématuré né avant 34 semaines a une faible succion et se fatigue plus rapidement lors des boires. En conséquence, le nourrisson ne prend pas suffisamment de lait pour assurer sa croissance optimale, ni pour stimuler la production de lait chez sa mère. Bien des mères cesseront alors d'allaiter, pensant ne plus avoir suffisamment de lait pour nourrir leur enfant.

Il est important de comprendre que moins la demande est forte, moins la production de lait est importante. L'apprentissage du bébé pour téter au sein exige de la patience, du temps et un endroit adapté et chaleureux pour le faire.

Comme la succion s'améliorera graduellement, il est conseillé aux mamans d'exprimer leur lait à l'aide d'un tire-lait et de compléter les tétées avec le lait exprimé à l'aide d'une cuillère, d'un compte-gouttes, d'une seringue à médicament, d'un petit contenant ou d'un dispositif d'aide à l'allaitement.

Si les quantités de lait prises sont toujours insuffisantes, une sonde gastrique peut être utilisée afin de faire gagner du poids au bébé. Ce gain de poids supplémentaire améliorera sa capacité à téter mieux et davantage.

Au cours des dix dernières années, plusieurs études ont démontré les avantages d'ajouter un fortifiant au lait maternel déjà exprimé pour les bébés prématurés pesant moins de 2 kg à la naissance. Ce supplément de protéines, de vitamines et de minéraux permettrait de rencontrer les besoins du bébé prématuré et d'optimiser ainsi sa croissance.

Notons qu'il existe également des préparations lactées pour bébés prématurés quand la mère ne peut pas allaiter.

Avec tous les bienfaits qu'on lui connaît maintenant, le lait maternel est, de loin, le meilleur aliment pour l'enfant prématuré.

Médicaments et drogues illicites

La mère devrait toujours consulter un médecin ou un pharmacien avant de prendre un médicament durant l'allaitement.

Lorsque nécessaire, il est conseillé de prendre le médicament à la fin de la tétée ou avant la période de sommeil la plus longue, de façon à minimiser la quantité de médicament absorbé par le bébé.

Les drogues illicites, comme les amphétamines, le cannabis, la cocaïne et l'héroïne, sont incompatibles avec l'allaitement et ne devraient pas être consommées par la mère qui nourrit son enfant au sein.

D'autres médicaments sont également contre-indiqués car ils engendrent des problèmes sérieux chez le nourrisson. En particulier: la bromocriptine, la cyclophosphamide, la cyclosporine, la doxorubicine, l'ergotamine, le lithium, le méthotrexate et la phencyclidine.

Chapitre 2

L'alimentation de la femme qui allaite

▼

Depuis longtemps déjà, vous avez décidé d'offrir à votre bébé l'aliment par excellence, le lait maternel. Tout au long de votre grossesse, vos seins ont augmenté de volume et votre corps a emmagasiné nutriments et énergie en prévision de l'allaitement. Mais à compter d'aujourd'hui, quelle doit être votre alimentation ? Devez-vous manger pour deux ? Y a-t-il des aliments à privilégier pour favoriser la production de lait ? Des aliments à éviter parce qu'ils seraient nuisibles au nourrisson ou parce qu'ils donneraient une saveur particulière au lait ? Devrez-vous préparer des mets spéciaux et être condamnée à partager votre temps entre la cuisine et les tétées ? Qu'en est-il de la consommation de café et d'alcool ?

Ce chapitre tentera de répondre à ces questions et de démystifier certaines croyances. Nous espérons qu'il saura vous convaincre que bien manger et allaiter, ce n'est pas sorcier et que cela n'exige pas de prouesses culinaires.

Votre corps est une merveilleuse usine. Même lorsque votre alimentation n'est pas idéale, il produit du lait de bonne qualité et en quantité suffisante pour répondre aux besoins de votre bébé. Mais attention ! La lactation représente un énorme stress nutritionnel pour la mère. Ce n'est guère étonnant puisque bébé double son poids de naissance vers l'âge de 4-5 mois et le triple autour de 12 mois. Vous comprenez donc qu'en allaitant, vous avez tout intérêt à bien vous alimenter pour maintenir un bon état nutritionnel et assurer le renouvellement de vos réserves d'éléments nutritifs. En vous inspirant du *Guide alimentaire canadien*, vous pourrez vous composer un régime équilibré qui vous permettra d'atteindre ces deux objectifs.

Les besoins nutritionnels

Énergie

Même si vous devez manger un peu plus que d'habitude, rassurez-vous : vous n'avez pas à compter les calories. Maintenez les bonnes habitudes alimentaires acquises lorsque vous étiez enceinte. Choisissez de plus grosses portions ou des portions plus nombreuses à l'intérieur de chacun des groupes alimentaires. Consommez plusieurs petits repas si les assiettes copieuses vous rebutent. Méfiez-vous des aliments à calories vides. Et surtout, prenez plaisir à savourer une variété d'aliments. Votre bébé recevra un lait maternel de première qualité tandis que vos besoins nutritionnels et énergétiques seront comblés.

Pour quelle autre raison vous recommande-t-on de manger plus lorsque vous allaitez ? La production de lait humain s'élève à environ 750 ml par jour et varie aussi largement que de 450 à 1200 ml par jour. Des auteurs mentionnent que la lactation peut être maintenue même si la mère souffre de malnutrition. Néanmoins, des études montrent qu'un apport quotidien inférieur à 1500 calories diminue significativement la production de lait et augmente la sensation de fatigue.

Donc, pour toutes les raisons citées ci-dessus, la femme qui allaite a tout intérêt à manger généreusement.

Est-il nécessaire de « manger pour deux » ?

Il faut nuancer ce vieux dicton. Si vous vous astreignez à ce régime, vous aurez probablement plus de difficulté à retrouver votre poids d'avant la grossesse. Oui, vous avez besoin de plus d'énergie, mais allaiter n'exige pas un ajout calorique astronomique !

De plus, cet apport supplémentaire de calories est influencé par vos réserves personnelles et votre niveau d'activité physique. Déjà, lors de votre grossesse, vous avez adopté, si ce n'était déjà fait, de saines habitudes alimentaires. En portant attention à la qualité de votre alimentation, vous avez posé les jalons pour l'allaitement futur. Pendant l'allaitement, on estime que vos besoins énergétiques sont augmentés de 450 calories par jour, soit l'équivalent d'un muffin, d'un morceau de fromage et d'une poire accompagnés d'un verre de lait, ou encore de 250 ml de yogourt partiellement écrémé et de 60 ml de noix et de graines.

Protéines

Vous savez probablememt que les protéines alimentaires sont nécessaires pour synthétiser les protéines de vos tissus. L'allaitement est une période durant laquelle la synthèse protéique domine. C'est pourquoi on recommande un apport supplémentaire de 20 g par jour. Ceci correspond à 60 g de viande et 125 ml de yogourt, ou encore à deux tartines de beurre d'arachide (30 ml) et 250 ml de lait.

Mentionnons que la malnutrition a peu d'effet sur la concentration en protéines du lait. Cependant, une augmentation des protéines alimentaires augmente le volume de lait produit.

En résumé, pour assurer la croissance tissulaire et favoriser une plus grande production de lait, augmentez votre ingestion de protéines en les puisant à plusieurs sources : viande, volaille, poisson, fruits de mer, œufs, produits laitiers, noix et graines, légumineuses.

Un mot sur la **consommation de poisson**. Certaines espèces contiennent des polluants qui se retrouvent dans le lait maternel. Ainsi, le thon frais ou congelé, l'espadon et le requin ne doivent pas être servis plus d'une fois par mois. Cependant, vous pouvez consommer jusqu'à 170 g (une petite boîte) de thon en conserve par semaine. Le doré, le brochet, l'achigan, la truite grise et le maskinongé sont à éviter. Privilégiez donc la consommation de poissons de mer ou de pisciculture tels l'aiglefin, le flétan, le saumon, la sole, la truite, les crevettes et les pétoncles. Ils vous apporteront de bons gras qui amélioreront la qualité des gras de votre lait.

Vitamines et minéraux

Lorsque vous allaitez, vos besoins en vitamines et minéraux augmentent. En règle générale, si votre alimentation est variée et équilibrée, il n'est pas nécessaire de prendre systématiquement un supplément. Cependant, ce dernier peut être justifié pour certains groupes de femmes telles les adolescentes, les femmes de milieu économiquement faible, celles qui ont pris ou prennent des contraceptifs oraux, les femmes qui ne consomment pas ou mangent peu de certains groupes d'aliments. Enfin, comme des études ont démontré que plusieurs femmes ne consommaient pas les quantités recommandées de calcium, de magnésium, de zinc, d'acide folique ainsi que de vitamines D, B_6 et E, nous traiterons particulièrement de ces nutriments.

Calcium et vitamine D

Vous connaissez sûrement le rôle joué par le **calcium** dans la formation des os et des dents. Mais vous ignorez peut-être que la quantité de calcium dans une production moyenne journalière de 750 ml de lait maternel est de 250 mg. Et vous avez probablement entendu dire que l'allaitement entraîne une déminéralisation osseuse chez la mère.

Ces faits semblent militer en faveur d'une augmentation de l'apport en calcium. Par contre, l'alimentation ne semble pas affecter la quantité de calcium du lait maternel et cette dernière demeure assez stable chez la mère. De plus, selon des études récentes, l'apport alimentaire de calcium n'explique pas la diminution de la densité minérale osseuse chez la mère en période d'allaitement. Enfin, ce phénomène est transitoire et se corrige après le sevrage.

Il s'ensuit donc que vous devez ingérer suffisamment de calcium lorsque vous allaitez. Toutefois, les quantités recommandées ne sont pas supérieures à celles correspondant à votre groupe d'âge, soit l'équivalent de 3 à 4 produits laitiers par jour.

EST-IL VRAI QUE JE DOIS BOIRE DU LAIT OU CONSOMMER DES PRODUITS LAITIERS POUR PRODUIRE DU LAIT ?

Assurément non. Pensez aux femelles du règne animal ! S'abstenir de lait et de produits laitiers n'entraînera pas une absence ou une production insuffisante de lait.

Par contre, boire du lait est la façon la plus simple et la plus efficace pour rencontrer vos besoins en calcium. Vous n'aimez pas le lait ? Remplacez-le par d'autres produits laitiers : yogourts, fromages, desserts au lait, sauces blanches, soupes à base de lait. La poudre de lait est une alternative pratique : ajoutez-la lors de la préparation de pommes de terre en purée, de crêpes, de biscuits, de muffins, de mets en casserole. Une portion de lait correspond à environ 60 ml (4 c. à table) de poudre de lait. Selon la réglementation canadienne, tous les laits pour consommation ainsi que la margarine sont obligatoirement enrichis de **vitamine D**. Le même règlement permet l'addition de cette vitamine aux boissons de soja. Il existe peu de sources naturelles riches en vitamine D (huile de foie de morue, poissons gras, œufs, champignons). Il s'ensuit donc que si vous ne prenez pas suffisamment de lait liquide ou en poudre ou de yogourt enrichi, un supplément de vitamine D sera indiqué.

Vous n'aimez aucun produit laitier ? D'autres possibilités vous sont offertes : jus enrichis en calcium, boisson de soja enrichie, tofu ferme (optez pour celui préparé avec du sulfate ou du chlorure de calcium), haricots blancs, chou chinois, épinards, brocoli, chou frisé, amandes, noix du Brésil, sardines et saumon en conserve avec les arêtes. Un supplément de calcium et de vitamine D vous est cependant conseillé car il est alors plus difficile de rencontrer vos besoins en ces deux éléments nutritifs.

Vous constatez que plusieurs aliments vous permettent d'atteindre les objectifs recommandés en calcium. Retenez qu'il n'est pas nécessaire d'en augmenter la consommation et que l'ingestion de 3 à 4 portions de produits laitiers par jour ou de leur équivalent protégera votre intégrité osseuse, tout comme en période de non allaitement. De nouveau, prévoyez un supplément de vitamine D si votre consommation de lait liquide ou d'autres produits laitiers enrichis est insuffisante ou si vous ne bénéficiez pas d'une exposition adéquate au soleil, lequel permet de synthétiser la vitamine D.

Le magnésium et le zinc

Le **magnésium** est impliqué dans plusieurs réactions enzymatiques dont la synthèse des acides gras et des protéines. Il joue un rôle important dans la formation des os et des dents, le contrôle de la fonction cardiaque, la sécrétion ou l'action de certaines hormones. C'est un minéral indispensable pour libérer l'énergie provenant des aliments. Assurez-vous donc de consommer des produits céréaliers à grains entiers ou enrichis, des légumineuses, des noix et des graines. Vous trouverez également du magnésium dans les épinards, la pomme de terre, les pois, le maïs, l'artichaut, la banane et les fruits séchés.

Pour sa part, le **zinc** intervient dans la fonction immunitaire et la cicatrisation des tissus. Incluez dans votre alimentation des viandes rouges, du foie et des légumineuses pour vous aider à combler vos besoins. Les graines de sésame et de tournesol de même que les amandes en contiennent des quantités intéressantes. Enfin, les produits laitiers et les produits céréaliers peuvent contribuer de façon significative à votre apport alimentaire en zinc.

L'acide folique, les vitamines B_6 et E

L'**acide folique** joue un rôle indispensable dans la réduction des malformations du tube neural chez le fœtus, comme le spina-bifida (défaut de fermeture de la colonne vertébrale) et l'anencéphalie (défaut du développement de la boîte crânienne). Il agit également dans le maintien de la santé cardiovasculaire. Un apport limité augmenterait les risques de certains cancers, dont celui du côlon et de l'estomac. Soulignons que la prise de contraceptifs oraux pourrait nuire à son absorption.

Comme les besoins en acide folique sont augmentés lors de l'allaitement, il est primordial d'en consommer de bonnes sources. Les épinards, les asperges, les betteraves, le maïs, les laitues (romaine, chicorée, scarole), les graines de tournesol, les légumineuses et les abats en sont d'excellents fournisseurs. D'autres suggestions ? Considérez le jus d'orange, les laitues Boston et iceberg, le brocoli, les choux de Bruxelles, les pois, le panais, le melon miel, les mûres, le cantaloup.

La **vitamine B_6** joue un rôle important dans la synthèse de l'hème, soit la partie de l'hémoglobine contenant le fer. Elle intervient également dans le fonctionnement du système nerveux, du système immunitaire, de la régulation de certaines hormones et du métabolisme des glucides et des lipides. Les résultats des recherches concernant son impact sur la production de lait sont contradictoires. Ceci est probablement dû à l'action indirecte qu'exerce cette vitamine dans la production et l'inhibition de la prolactine, hormone qui favorise la lactation. Néanmoins, vous en consommerez en bonne quantité en mangeant de la viande, de la volaille, du foie, du poisson. Les graines de tournesol et les lentilles sont aussi de bonnes sources de vitamine B_6. Enfin, parmi les fruits et les légumes, les épinards, le brocoli, les choux de Bruxelles, la pomme de terre, les fruits séchés, l'avocat, la banane, le melon d'eau et le cantaloup en contiennent des quantités intéressantes.

La **vitamine E** possède des propriétés antioxydantes et, à ce titre, elle augmente la résistance aux infections. Là ne se limite pas son action. Elle prévient aussi les maladies cardiovasculaires, les problèmes de la peau, les troubles articulaires et l'anémie. Mais attention ! Trop peu ou trop de vitamine E peuvent altérer les mécanismes de défense de votre organisme. De plus, les crèmes à base de vitamine E appliquées généreusement sur votre peau peuvent exposer le bébé à de larges doses car elles sont absorbées par votre corps. Et votre bébé l'absorbe directement si la crème est appliquée sur les seins. Les principales sources de vitamine E se trouvent surtout dans les aliments à teneur élevée en lipides: germe de blé, graines de lin et de tournesol, noix, arachides, huiles végétales qui en sont extraites, margarines, vinaigrettes, mayonnaise. Certains légumes (bette à carde, chicorée, chou-rave, patate douce) et les œufs oméga-3 en renferment également une quantité appréciable.

Si vous effectuez un bref survol des éléments traités jusqu'à présent, vous constaterez que nous avons touché aux quatre groupes du *Guide alimentaire canadien*. En aucun temps il n'a été question d'adopter des aliments particuliers ou des habitudes alimentaires spéciales. Comme nous l'avons souligné au début de ce chapitre, vous trouverez dans l'arc-en-ciel du Guide tout ce dont vous avez besoin pour conserver un état nutritionnel optimal.

Vous vous posez peut-être des questions à propos de certains aliments réputés pour augmenter la production de lait, sur la consommation de liquides, d'alcool et de café, sur la perte de poids et l'activité physique. Voyons ce qu'il en est.

Des aliments pour augmenter la production de lait

Il n'existe pas de base scientifique pour affirmer que certains aliments augmentent la production lactée. Les protéines sont les seuls nutriments qui auraient un effet positif sur le volume de lait produit. Il est souvent mentionné que la levure de bière et les suppléments de vitamine du complexe B augmentent la production de lait. Par ailleurs, on sait que la fatigue et le stress peuvent altérer le volume de lait produit. Comme certaines vitamines B agissent sur le système nerveux, leur influence se situerait peut-être sur ce plan.

Est-il vrai que certains aliments favorisent la production de lait ?

La production de lait répond plutôt à la loi de l'offre et de la demande : plus le sein est stimulé, plus le bébé tète, plus il y a de lait produit. Une bonne succion de votre bébé et un allaitement fréquent favorisent donc une production abondante de lait. C'est pourquoi il faut laisser votre bébé dicter le nombre et la durée des tétées.

Somme toute, pour favoriser votre production lactée, allaitez souvent, dans un environnement calme et veillez à manger suffisamment d'aliments riches en protéines (voir Protéines, p. 29).

Les liquides

Il est naturel que vous ressentiez le besoin de boire davantage parce que vous allaitez. **Buvez pour étancher votre soif**. Vous astreindre à boire plus créera de l'inconfort sans augmenter votre production de lait si c'est ce que vous recherchez. La réciproque est aussi vraie : vous priver de consommer des liquides ne diminuera pas votre production lactée, ne préviendra pas l'engorgement de vos seins, mais vous exposera à des problèmes de constipation.

Comment savoir si vous buvez suffisamment ? Guidez-vous sur la couleur et la quantité de vos urines. Si elles sont pâles et abondantes, c'est un indice que vous êtes bien hydratée. Par contre, si elles sont foncées et dégagent une odeur forte, c'est un signe avertisseur pour augmenter votre apport en liquides :

eau, jus, lait. Si vous avez tendance à oublier de boire, gardez une boisson à portée de la main lorsque vous allaitez.

L'alcool

Les avantages de l'allaitement sont indéniables. Ils surpassent le risque associé à une prise **occasionnelle** d'alcool en petite quantité. Ainsi, rien ne vous empêche de souligner un événement spécial en sirotant lentement un verre de boisson alcoolisée. Retenez que la concentration d'alcool dans le sang et dans le lait sont identiques. Selon que vous consommez de l'alcool à jeun ou au repas, il s'écoulera de 30 à 90 minutes pour qu'il se diffuse dans votre sang et, par conséquent, dans votre lait. Retenez également que plus vous êtes légère, plus l'alcool prend de temps à s'éliminer. Par exemple, si vous pesez 45 kg, il s'écoulera un peu plus de trois heures pour éliminer 150 ml de vin ou 340 ml de bière ou encore 45 ml de spiritueux. Mais si vous pesez 65 kg, la même quantité d'alcool prendra plutôt deux heures à se dissiper.

La croyance populaire veut que la consommation de bière augmente la production ou la qualité du lait. Il n'existe aucune preuve scientifique à cet effet.

Vous avez probablement lu ou entendu parler des effets bénéfiques du vin rouge sur la santé cardiovasculaire. Les recherches scientifiques montrent que certaines femmes bénéficieraient de la consommation d'un verre de vin rouge par jour. Mais boire pour sa santé est un sujet plutôt épineux, en particulier si vous allaitez.

En conclusion, prendre une petite quantité d'alcool à l'occasion ne semble pas poser de problème pour votre bébé. Lorsque vous en consommez, attendez au moins deux heures avant d'allaiter pour donner à l'alcool le temps de se métaboliser. Pourquoi ne pas essayer de la bière ou du vin non alcoolisé ?

Vous les trouverez peut-être tout aussi agréables au goût et vous pourrez en consommer plus souvent. Et bien sûr, les boissons pétillantes (eaux de source gazéifiées) ou piquantes (jus de tomates épicé, cocktail de palourdes et tomates épicé) sont d'autres solutions de rechange.

Le café et les tisanes

Certaines substances stimulantes se retrouvent dans des boissons ou des aliments. La caféine, présente dans le café, les boissons gazeuses à base de cola, le thé, le chocolat et dans des médicaments vendus sans ordonnance, est probablement la première qui vous vienne à l'esprit. Citons également la théophylline, contenue surtout dans le thé, et la théobromine, dans le chocolat. Les variétés de fèves de café, de cacao et de feuilles de thé, une mouture fine ou grossière, la méthode et le temps d'infusion, la température de l'eau sont tous des facteurs qui influenceront l'effet stimulant de ces boissons.

Caféine, théophylline et théobromine passent dans le lait et leur concentration maximale est atteinte de une à trois heures après leur ingestion. C'est pourquoi il est souhaitable de boire les boissons contenant ces substances immédiatement avant ou après la tétée de bébé.

Comme en toute chose, la modération a bien meilleur goût. Il ne semble pas que la consommation de une à deux tasses par jour de ces boissons affectera votre bébé. En effet, il ressort des expériences cliniques que c'est surtout une grande consommation de produits contenant de la caféine qui entraîne chez le bébé de l'irritabilité, de l'agitation et un sommeil perturbé.

Il n'en demeure pas moins que, comme chez l'adulte, certains bébés sont très sensibles à ces substances. Si vous devez les exclure totalement de votre alimentation ou en diminuer la consommation, remplacez-les par de l'eau, du lait, du jus, des boissons à base de céréales, des produits décaféinés ou des tisanes.

La prudence est néanmoins de mise quant à la consommation des tisanes. En effet, ces dernières peuvent être élaborées à partir d'un seul ingrédient ou de mélanges contenant plusieurs variétés de feuilles, de pépins ou de fleurs. Plusieurs d'entre elles n'ont pas été analysées scientifiquement. De plus, les tisanes peuvent contenir des substances ou des impuretés (pollen, moisissures, spores, débris d'insectes) rendant leur consommation très hasardeuse pour les femmes souffrant d'allergies. Et il n'existe présentement aucune loi ou règlement concernant l'étiquetage de ces produits pour guider la femme allaitante. Cependant, en général, vous pouvez consommer en toute sécurité les variétés suivantes si vous vous en tenez à deux ou trois tasses par jour :

pelure d'agrumes
mélisse officinale
fleur de tilleul[1]
pelure d'orange
églantier
gingembre
fleur d'oranger
cannelle
eucalyptus
jasmin
citronnelle

Il est donc conseillé de consommer les tisanes en quantité modérée, d'en varier les sortes, de les acheter en sachet plutôt qu'en vrac, de bien vérifier la liste des ingrédients sur les étiquettes et de limiter la durée de leur infusion (de 3 à 5 minutes).

Le tabac

Vous le savez déjà, fumer est nuisible pour la santé, pour la vôtre et pour celle de votre bébé, que vous allaitiez ou non.

1. Non recommandé pour les personnes souffrant de cardiopathie.

Le tabagisme intensif (plus de 10 cigarettes par jour) peut diminuer la production lactée de la mère. La nicotine nuit également au réflexe d'éjection, c'est-à-dire à l'expulsion du lait au début de la tétée. Les nouveau-nés allaités par une mère qui fume prennent moins de poids. Ils souffrent plus souvent de coliques, de maladies respiratoires (durant la première année) et sont sevrés plus tôt que les bébés dont la mère ne fume pas. Enfin, tout récemment, des chercheurs ont relié le syndrome de mort subite du nourrisson aux habitudes des parents fumeurs.

Malgré ces effets nocifs, le fait de fumer ne devrait pas vous empêcher d'allaiter. L'allaitement maternel demeure le meilleur choix pour votre bébé. Suivez néanmoins ces conseils :

- Diminuez votre consommation quotidienne de cigarettes en éliminant celles qui ne représentent pas un réel besoin.
- Ne fumez pas immédiatement avant ou pendant les tétées.
- Fumez dans une autre pièce que celle où se trouve le bébé ou, préférablement, dehors.
- Aérez fréquemment la maison.
- La cigarette augmente les besoins en vitamine C de 30 à 50 % sans oublier que la dose recommandée est 60 % plus élevée pour une femme qui allaite. Consommez plus de fruits ou de jus de fruits citrins et mangez d'autres aliments riches en vitamine C, tels que brocoli, chou, choux de Bruxelles, chou-fleur, patate douce, pois mange-tout, poivron, fraises, kiwi, cantaloup, litchis, papaye.

Perte de poids

Tout au long de votre grossesse, votre entourage vous a souligné combien vous étiez belle enceinte. Au 9e mois, vous doutiez sérieusement de ce compliment. Honnêtement, vous trouviez que ces « bons » kilos déformaient votre silhouette et vous rendaient la vie plutôt inconfortable. Vous aviez hâte de retrouver votre vrai corps. Enfin, vous avez accouché d'un merveilleux poupon que vous nourrissez au sein. Vous constatez craintivement que les quelques kilos supplémentaires ne fondent pas comme neige au soleil. Un régime amaigrissant accélérerait sûrement la fonte...

Sachez d'abord que la mère qui allaite et qui mange à sa faim perd graduellement du poids au rythme de 0,5 à 1,0 kg par mois en utilisant les réserves accumulées durant sa grossesse. Bien que l'allaitement n'accélère pas la perte de poids, des études indiquent que les mères qui allaitent plus de trois mois ont tendance à perdre plus de poids.

Vous trouvez ce rythme trop lent et désirez maigrir plus rapidement ? Retenez qu'il est conseillé d'attendre de 6 à 8 semaines après l'accouchement avant de tenter de perdre plus vite les kilos superflus. De plus, cette perte ne devrait pas excéder 2 kg par mois. En effet, une diminution plus prononcée pourrait affecter la production de lait. Une perte de poids plus rapide favorise également la libération, dans la circulation sanguine, des polluants (BPC et pesticides, par exemple) qui sont normalement emmagasinés dans les graisses du corps. Leurs concentrations se trouveraient donc aussi augmentées dans votre lait. Il en découle que les diètes liquides, les régimes draconiens à la mode et les médicaments favorisant une perte de poids rapide sont à éviter, sinon à proscrire.

Si vous désirez perdre du poids, consommez au moins 1800 kcal/jour. Ne vous concentrez pas sur les « interdits »; considérez plutôt la grande variété d'aliments sains auxquels vous avez accès. Pensez à inclure des aliments riches en calcium, magnésium, zinc, vitamines B_6, E et acide folique.

Essayez d'abord d'augmenter votre activité physique. Ainsi, une marche effectuée à un pas normal ou rapide vous permettra de brûler de 5 à 9 kcal/kg poids/heure[2]. De même, vous pourrez perdre environ 4 kcal/kg poids/heure lors d'une randonnée à vélo effectuée à une vitesse de 9 km/heure ou 10 kcal/kg poids/heure en faisant du ski de fond. Vous pouvez aussi diminuer votre apport calorique en retranchant l'équivalent de 100 kcal de votre alimentation quotidienne, soit : 1 petit muffin, 15 ml de matière grasse (beurre, huile, margarine), 100 ml de crème glacée ou de sorbet, 2 biscuits sandwich ou avec brisures de chocolat.

L'activité physique est tout à fait compatible avec l'allaitement et n'a que peu ou pas d'effet sur la lactation. Un exercice intense peut donner un goût suret au lait en raison de l'acide lactique produit par le corps au moment de l'exercice. Cette saveur ne semble pas provoquer de réaction négative du bébé lors de la tétée donnée après les exercices. Et vous pouvez toujours vous entraîner après plutôt qu'avant la tétée. Les bienfaits de l'exercice ne se limitent pas à stimuler la perte de poids. L'activité physique apporte une sensation de bien-être et un regain d'énergie, brise la routine quotidienne, diminue le niveau de stress, sans oublier ses effets bénéfiques sur le système cardiovasculaire.

Mais où trouver le temps ? Vous êtes constamment à la course ! Intégrez vos exercices aux activités que vous faites avec votre poupon : marchez avec le bébé dans la poussette ou le porte-bébé, suivez des vidéocassettes d'exercices ou des émissions télévisées. Consultez des livres qui suggèrent et expliquent des exercices à faire avec bébé. Et pourquoi ne pas créer un groupe de mamans avec qui vous pourriez pratiquer une activité et partager la garde des petits ?

---

2. Kilocalories, par kilogramme de poids, par heure. La kilocalorie est communément appelée « calorie ».

En conjuguant ainsi l'effort à l'agréable, vous obtenez une combinaison gagnante pour persévérer dans l'atteinte de votre objectif, soit retrouver une silhouette reflétant un corps mûr et en santé.

Tabous alimentaires

Votre conjoint a mijoté un plat mexicain relevé comme vous l'aimez. Mais voilà ! On vous a suggéré de vous abstenir d'aliments épicés, qui donnent des gaz, parce que vous allaitez. Êtes-vous condamnée à n'en humer que les odeurs alléchantes ? Mentionnons d'abord qu' il est difficile de justifier scientifiquement ces conseils. Ensuite, rappelez-vous que votre bébé s'est adapté à votre alimentation lorsqu'il était dans l'utérus ; il continuera de s'y habituer lors de l'allaitement. La saveur du lait maternel change constamment selon ce que vous mangez. Il serait malheureux de priver le nourrisson de cette abondance de saveurs. C'est son initiation aux goûts variés des aliments solides et il en appréciera la diversité.

Dans le même ordre d'idée, la consommation de fruits citrins ne donne pas un goût acide au lait et ne provoque pas d'emblée des rougeurs ou des irritations aux fesses du bébé. Néanmoins, si vous soupçonnez qu'un aliment incommode votre bébé, retirez-le de votre alimentation durant quelques jours et observez les résultats. Réintroduisez-le puis observez encore les réactions. Prenez la décision appropriée.

Nous ne faisons ici référence qu'à un inconfort relativement bénin pour le bébé (coliques, ballonnements, irritations fessières). Une réaction allergique nécessite une autre approche. À ce sujet, consultez le chapitre 7 (p. 101) sur les allergies alimentaires.

En résumé, tous les aliments bons et sains vous sont permis lors de l'allaitement. Laissez à votre bébé la chance de s'ouvrir à l'univers des saveurs.

On m'a conseillé d'éviter les légumes qui donnent des gaz et les légumineuses parce qu'ils donnent des coliques au bébé. Est-ce indiqué ?

La tolérance ou la sensibilité à certains aliments ingérés par la maman varie d'un bébé à l'autre. Ainsi, le fait de consommer des légumes qui donnent des gaz (choux variés, brocoli, oignon, navet, etc.) ou des légumineuses (fèves rouges, pois chiches, lentilles, etc.) ne causera pas nécessairement des coliques ou des ballonnements à votre bébé. Les gaz sont produits dans l'intestin par l'action des bactéries sur les fibres. Les gaz et les fibres ne passent pas dans le lait de la mère, même si cette dernière en est incommodée. Pour votre bien-être, jetez l'eau de trempage des légumineuses afin de les débarrasser des substances qui causent des gaz.

Végétarisme

Le végétarisme regroupe plusieurs types d'alimentation (voir le chapitre 6, p. 95). Certains comprennent des protéines animales (produits laitiers, œuf). Si vous avez adopté un de ces régimes et qu'il est équilibré, il n'y a aucun problème particulier lié à l'allaitement. En vous appuyant sur les recommandations du *Guide alimentaire canadien* et en choisissant chaque jour des aliments variés à l'intérieur de chaque groupe alimentaire, vous pourrez satisfaire vos besoins nutritionnels.

Si vous avez adopté un régime ne comportant aucun produit d'origine animale (végétalisme, régime macrobiotique), une planification minutieuse de vos menus s'avère d'autant plus indispensable que vous allaitez. Nous vous suggérons de consulter une diététiste pour vous assurer de couvrir tous vos besoins en énergie et en nutriments essentiels. En plus d'être attentive à votre consommation de protéines, de calcium et de fer, vous devez particulièrement surveiller votre apport en vitamine D, en vitamine B12 et en acide linolénique

Puisez vos **protéines** dans les produits à base de soja (boisson, tofu, fèves, succédanés de la viande). Vous les trouverez également dans des combinaisons appétissantes de produits céréaliers, de légumineuses, de noix et graines et de légumes: sandwich au beurre d'arachide, soupe aux pois et pain de blé entier, potage de gourganes et muffin au son, salade de haricots rouges et pain de seigle, humus et pain pita, riz aux lentilles agrémenté d'amandes. Ces aliments vous apporteront en prime du **fer**, également présent dans les céréales enrichies, les abricots, les pruneaux, les raisins secs, les figues, le chou chinois, le brocoli, les champignons. Pour favoriser l'absorption du fer, veillez à consommer simultanément une source de **vitamine C**, abondante dans les agrumes et jus d'agrumes, fraises, kiwi, cantaloup, poivrons crus, choux de Bruxelles, pois mange-tout, patate douce.

Faites provision de **calcium** en consommant des boissons et du yogourt au soja enrichis en calcium, du tofu ferme, des jus de fruits enrichis, des amandes, du beurre d'amande ou de sésame (tahini). Réservez une place aux bok choy, brocoli, chou chinois, chou frisé, gombo, feuilles de navet, pois verts et pois mange-tout, asperges.

Pour absorber le calcium, vous avez besoin de **vitamine D**. En été, une exposition quotidienne du visage, des mains et des avant-bras durant 5 à 15 minutes vous en fournit des quantités adéquates. En hiver, vous devez vous assurer de consommer suffisamment de produits enrichis (boisson de soja, de riz). Il se peut qu'un supplément soit indiqué.

Il est crucial pour la maman qui allaite de s'assurer d'un apport adéquat en **vitamine B12**. Des études rapportent que certains végétaliens n'en consomment pas des sources fiables et sont ainsi exposés à une carence. Pour parer à cette situation, vous devez inclure **quotidiennement** dans votre alimentation **quatre** portions parmi les aliments **enrichis** suivants : boisson au soja, succédanés de viande, céréales à déjeuner, certaines levures. Sinon, un supplément vitaminique est indispensable. Attention ! Les algues et les produits de soja fermentés (tempeh) sont riches en vitamine B_{12}, mais cette dernière est inactive. De plus, sa forme nuit à l'utilisation de la vitamine B_{12} active contenue dans d'autres aliments. Lisez attentivement les étiquettes pour savoir si l'aliment est enrichi de vitamine B_{12}, également appelée « cyanocobalamine ».

L'acide linolénique est le précurseur d'un élément nutritif qui jouerait un rôle dans le développement du cerveau et de l'œil. Comme c'est un acide gras que votre organisme ne peut synthétiser, il est essentiel de le retrouver dans votre alimentation. Assurez-vous d'en consommer une source chaque jour : graines de lin moulues, huile de lin, de soja, de canola, de noix, noix de Grenoble, fèves soja, tofu, germe de blé.

Pour alléger votre tâche

Vous comptez probablement parmi les mamans prévoyantes qui ont cuisiné et fait provision de mets en prévision du retour à la maison après l'accouchement. Peut-être que votre famille et vos amis ont assuré vos repas pour quelques jours, voire quelques semaines. Afin de prolonger votre réserve, ayez sous la main des aliments vous permettant d'apprêter rapidement des repas nutritifs.

Vous pouvez aussi échanger vos plats cuisinés avec d'autres mamans ! Lorsque vous cuisinez un mets, il suffit d'en préparer une plus grande quantité. Vous récupérerez ainsi du temps pour vous, ajouterez de la variété à vos menus et découvrirez de nouvelles saveurs.

À AVOIR SOUS LA MAIN

PRODUITS CÉRÉALIERS	céréales, pains (de blé entier, seigle ou multigrains, pitas, bagels), muffins, craquelins, barres de céréales, galettes de riz, pâtes alimentaires, riz, couscous, bulghur, pâte à pizza prête à garnir, etc.
LÉGUMES ET FRUITS	frais, en conserve, surgelés, déshydratés, format familial ou individuel (soupes, coupes de fruits), fruits séchés, salades mélangées préemballées, etc.
PRODUITS LAITIERS	lait, fromages, yogourts, poudings individuels, préparations pour pouding instantané, etc.
VIANDES ET SUBSTITUTS	conserves de thon, de saumon, de légumineuses (haricots rouges, fèves au lard, lentilles), filets de poisson surgelés et assaisonnés, sauces pour pâtes alimentaires (en conserve ou emballées sous vide), beurre d'arachide, noix, graines, œufs.

En conclusion

Nous espérons que ces informations vous seront utiles et vous auront convaincue qu'allaiter ne rime pas avec se priver. Mangez selon votre appétit, sans remords et avec plaisir. Prenez trois repas par jour et plusieurs collations pour éviter d'être rebutée ou alourdie par des portions trop copieuses. Le *Guide alimentaire canadien* a été conçu pour vous suggérer des aliments sains et combler tous vos besoins nutritifs. N'omettez aucun des quatre groupes et variez votre alimentation. Buvez assez de liquides pour étancher votre soif. Selon les connaissances actuelles, aucun aliment n'augmente la production lactée. Enfin, si vous êtes végétalienne, il serait opportun de consulter une diététiste pour vous assurer que tous vos besoins nutritionnels sont rencontrés, notamment ceux en vitamine B_{12}.

Sources des éléments nutritifs à surveiller pour la femme qui allaite

Produits céréaliers	Légumes et fruits	Produits laitiers	Viandes, volailles et poissons	Œufs	Légumineuses	Noix et graines
		Protéines	Protéines	Protéines	Protéines	Protéines
Fer Magnésium Zinc	Calcium Fer Magnésium	Calcium Magnésium Zinc	Calcium (sardines et saumon en conserve) Fer Zinc	Fer Zinc	Calcium Fer Magnésium Zinc	Calcium Fer Magnésium Zinc
Vitamine E (germe de blé)	Acide folique Vitamine B_6 Vitamine E (patate douce, bette à carde, chicorée, chou-rave, feuille de pissenlit)	Vitamine D Vitamine B_{12}	Acide folique Vitamine B_6 Vitamine B_{12}	Acide folique Vitamine B_{12} Vitamine E (œufs oméga-3)	Acide folique Vitamine B_6 (boisson de soja et succédanés de viande enrichis)	Acide folique Vitamine B_6 Vitamine B_{12}

Guide alimentaire quotidien pour la femme qui allaite

Produits céréaliers :	**8 à 11 portions**
Céréales :	1 à 2 portions, de préférence à grains entiers
Pain :	5 à 6 portions, de préférence à grains entiers. Profitez de la variété : pain de blé entier, au son et multigrains, bagel, pita, muffin anglais, crêpe, gaufre, galette de sarrasin, etc.
Riz, orge, couscous, bulghur, pâtes alimentaires :	2 à 3 portions

Légumes et fruits :	**7 à 9 portions**
Légumes et jus :	4 à 5 portions
Fruits et jus :	3 à 4 portions

Favorisez les crudités et les fruits frais.

Produits laitiers :	**3 à 4 portions**
Lait :	2 portions (incluant potages et desserts cuisinés avec du lait)
Yogourts, fromages :	1 à 2 portions

Privilégiez les produits partiellement écrémés.

VIANDES, VOLAILLES, SUBSTITUTS :	**2 à 3 portions**
Viandes et volailles maigres :	150 g par jour
Poissons :	150 g, 1 ou 2 fois par semaine ou plus
Légumineuses :	1 ou 2 fois par semaine (lentilles, pois chiches, haricots rouges, gourganes, etc.)
Œufs :	3 ou 4 par semaine (incluant ceux contenus dans les plats cuisinés ou les produits finis)
HUILE, MARGARINES, BEURRE :	**30 g (2 c. à table)**
	pour la cuisson, les vinaigrettes (huile de canola, de maïs, d'olive, de soja ; margarines molles non hydrogénées)

Chapitre 3

Les préparations lactées pour nourrissons

L'Organisation mondiale de la santé, le ministère de la Santé et des Services sociaux du Québec, la Société canadienne de pédiatrie et l'Ordre professionnel des diététistes du Québec recommandent l'allaitement maternel exclusif (sans introduction de biberons faits à partir de préparation pour nourrissons) jusqu'à l'âge de six mois. En effet, ces organismes estiment que le lait maternel est le seul aliment capable de s'adapter aux besoins du bébé. De plus, il lui fournit les nutriments et anticorps nécessaires à son développement optimal, tout en le protégeant contre de multiples maladies ou infections. Par contre, les mères qui ne peuvent ou ne souhaitent pas allaiter leur bébé peuvent recourir aux préparations lactées commerciales, spécialement élaborées pour les nourrissons.

Un peu d'histoire

Bien nourrir son enfant est une priorité pour toutes les mamans et ce n'est pas d'hier qu'on s'y intéresse! Vers la fin du XIXe siècle, de nombreuses études ont été menées sur la mortalité infantile reliée à la malnutrition. Compte tenu de la supériorité du lait maternel, aucun nourrisson allaité n'était répertorié car ils étaient tous bien nourris.

Les recherches portaient plutôt sur les bébés dont l'alimentation principale était le lait de vache régulier, non enrichi de vitamines. La malnutrition était fréquente et les conséquences sur la croissance et la santé de ces enfants étaient dramatiques: diarrhées chroniques, rachitisme, anémie, entraînant parfois la mort.

Ce n'est que vers les années 1920 que les fabricants de préparations pour nourrissons arrivèrent sur le marché de l'alimentation. Ils développèrent des laits enrichis capables d'améliorer l'état de santé des enfants non allaités, tout en abaissant considérablement le taux de mortalité. Grâce à ces résultats et à une mise en marché bien orchestrée, cette industrie a connu par la suite un essor spectaculaire.

Aujourd'hui, on dispose d'un vaste choix de préparations lactées pour nourrissons. Des formules régulières aux thérapeutiques, on trouve facilement ces produits dans les pharmacies, les supermarchés et les magasins à grande surface.

Les préparations pour nourrissons ne pourront jamais reproduire toutes les qualités et les bénéfices du lait maternel. Elles n'en demeurent pas moins une alternative intéressante pour les mamans qui ne peuvent ou ne désirent pas allaiter.

Nous espérons que les informations suivantes vous aideront à mieux vous retrouver parmi cette multitude de produits. Les professionnels de la santé pourront également vous guider dans votre choix.

Les préparations offertes sur le marché se regroupent sous cinq catégories, soit:

- les préparations régulières (avec ou sans fer);
- les préparations de 2e âge ou de transition;
- les préparations à base de soja;
- les préparations sans lactose;
- les préparations thérapeutiques.

Les préparations régulières

Les préparations régulières sont des préparations à base de lait de vache, qui conviennent aux bébés nés à terme et en santé et qui ne sont pas allaités. Plusieurs marques connues existent depuis longtemps sur le marché et elles sont toutes équivalentes. Depuis peu, nous assistons à l'apparition de formules de « marque maison ».

Les préparations lactées sont disponibles avec ou sans fer. Nous vous recommandons de commencer dès la naissance avec une préparation enrichie de fer afin d'éviter l'anémie chez votre enfant.

Marques offertes au Québec :

Enfamil A+®, Similac Advance®, Bon départ®, Choix du président®, Parent's choice®, Unilac®[1].

Les préparations de 2e âge ou de transition

Ces formules ne doivent pas être données à votre enfant avant l'âge de 6 mois car elles contiennent plus de protéines, de phosphore et de calcium que les préparations régulières. Elles sont plus économiques que les préparations standard et permettent de faire une transition vers le lait de vache. La qualité des préparations de transition est supérieure à celle du lait de vache. Toutefois, leur supériorité par rapport aux préparations régulières n'a jamais été prouvée. C'est pourquoi vous pouvez conserver la formule initiale jusqu'à l'âge de 12 mois.

Marques offertes au Québec :

Enfalac prochaine étape®, Similac Advance 2e étape®, Transition®.

---

1. Pour les laits disponibles en France, voir l'annexe 1, page 131.

Les préparations de soja

Ces préparations sont utilisées dans les familles végétariennes. Elles sont parfois prescrites dans les cas d'allergie aux protéines bovines. Toutefois, comme plusieurs enfants développent également une allergie aux protéines de soja, l'emploi de ces préparations dans ces cas est risquée.

ATTENTION : Il existe sur le marché des boissons de soja qu'il ne faut pas confondre avec les préparations pour nourrissons. La composition de ces boissons ne convient pas aux besoins des tout-petits.

Marques offertes au Québec :

Enfalac Prosobe®,Isomil®, Alsoy; 2e âge : *Transition au soya®, Isomil 2e étape®*

Les préparations sans lactose

Ces préparations sans lactose à base de protéines du lait de vache ont été développées pour les enfants qui ne tolèrent pas le sucre du lait (ce qui est extrêmement rare) et pour les cas de diarrhées aiguës.

Marques offertes au Québec :

Similac advance LF®, Enfalac sans lactose®.

Les préparations thérapeutiques

On trouve sur le marché plusieurs formules spécialisées conçues pour répondre aux besoins de certains enfants malades. Ces formules ne doivent pas être utilisées avant d'avoir consulté un professionnel de la santé.

Marques offertes au Québec :

Alimentum®, Enfalac Pregestimil®, Enfamil Nutramigen®, Neocate®.

ATTENTION : Si votre enfant est nourri avec une préparation lactée pour nourrissons, la prise d'un supplément vitaminique n'est pas nécessaire.

Caractéristiques des préparations

Les préparations lactées pour nourrissons peuvent se présenter sous forme de poudre, de liquide concentré ou de liquide prêt-à-boire (voir tableau p. 58).

La préparation du lait

Préparer le lait est relativement facile, mais cela demande certaines précautions. Voici quelques conseils :

- Avant l'âge de 4 mois, il est fortement recommandé d'utiliser de l'eau bouillie pour la préparation du lait (en poudre ou concentré) pour protéger votre bébé contre toute infection microbienne. Il suffit de verser de l'eau froide du robinet ou de l'eau de source dans une casserole. Couvrir et porter à ébullition pendant environ 2 à 5 minutes (à partir du moment où l'eau bout). Les micro-ondes et les bouilloires ne sont pas recommandées. D'une part, les micro-ondes ne stérilisent pas. D'autre part, les sels minéraux qui s'accumulent sur les parois de la bouilloire pourraient nuire à la santé de l'enfant. De plus, le mécanisme d'arrêt de la majorité des bouilloires empêche l'eau de bouillir assez longtemps.
- Cette eau bouillie devra être refroidie ou tiédie avant d'y diluer la poudre ou le liquide concentré ; sinon, certaines vitamines ou minéraux seront perdus, ce qui altèrera la qualité nutritive du lait.
- L'eau bouillie peut être conservée dans un contenant hermétique pendant 2 à 3 jours au réfrigérateur et 24 heures à la température de la pièce.

Caractéristiques des préparations

	Poudre	Liquide concentré	Prêt-à-boire
Format d'achat	disponible en différents formats	existe dans un seul format de 385 ml	se vend habituellement en canettes de 385 ml (parfois en plus gros format de 945 ml)
Préparation	**par boire** : utiliser une cuillère pour mélanger **plusieurs boires** : requiert un mélangeur ou un batteur électrique pour éviter la formation de grumeaux lors de la dilution suivre les indications du fabricant car la grosseur de la mesure dans la boîte peut varier d'un produit à l'autre	requiert l'utilisation d'une cuillère ou d'un fouet pour la dilution	aucune
Coût	$ ($$ si achat de petit format)	$$	$$$
Caractéristiques	ne tache pas les vêtements	peut tacher les vêtements (si non nettoyés immédiatement) suggéré aux nourrissons qui ont un retard de poids (plus de précision au niveau de la mesure)	tache les vêtements (si non nettoyés immédiatement)

- Veillez à bien suivre la recette indiquée sur la boîte afin d'obtenir la dilution désirée.

La conservation du lait

- Les préparations pour nourrissons (poudre ou liquide concentré) reconstituées avec de l'eau se conservent 24 heures au réfrigérateur et une heure à la température de la pièce. ATTENTION : Plusieurs enfants prennent beaucoup de temps à terminer leur biberon. La durée d'un boire ne doit pas excéder une heure. Au delà de ce temps, le lait doit être jeté car il y aurait risque de contamination bactérienne.
- Une fois ouvertes, les préparations de liquide concentré ou prêt-à-boire peuvent se conserver de 24 à 48 heures au réfrigérateur dans leur contenant original ou dans un autre contenant fermé hermétiquement. Vérifiez l'étiquette du produit afin de connaître la durée de conservation recommandée par le fabricant.
- Les préparations en poudre se conservent, une fois ouvertes, dans un endroit sec (garde-manger) pendant un mois.

Les tétines

- Essayer différentes sortes de tétines pour trouver la forme, la texture et l'ouverture qui conviennent à votre bébé.
- Si le bébé se fatigue rapidement pendant les boires et que sa croissance en est affectée, choisir des tétines à débit plus rapide (en forme de croix ou à plusieurs trous) après l'âge de 6 mois.
- À la fin de chaque boire, les tétines doivent être nettoyées à l'eau savonneuse à l'aide d'une petite brosse conçue à cet effet. La stérilisation est nécessaire lors de la première utilisation seulement. Lorsque la tétine devient collante ou poreuse, remplacez-la car elle risque d'attirer les bactéries

causant des infections comme le muguet. Vous pouvez utiliser le lave-vaisselle, mais vous risquez d'avoir à remplacer vos tétines plus rapidement car elles s'abîmeront plus vite.

Les biberons

On trouve sur le marché un vaste éventail de biberons. Lequel choisir?

- Qu'ils soient en verre, en plastique, de petit ou grand format, tous les biberons présentent des avantages et des inconvénients. Choisissez celui qui vous convient le mieux.
- Si vous avez opté pour des biberons de verre, portez une attention particulière à votre bambin s'il se promène avec sa bouteille ou s'il a tendance à la projeter au sol ; le verre se brise facilement et votre enfant risque de se blesser.
- Si vous avez choisi des sacs jetables, évitez d'y verser du lait chaud car ils pourraient éclater. De plus, il est inutile de les laver car ils sont fragiles et ne doivent pas être réutilisés.
- Il n'est plus recommandé d'enlever l'air des sacs jetables. La meilleure méthode pour éviter que votre enfant avale trop d'air consiste à relever suffisamment le biberon pour que la tétine soit toujours pleine de lait. De plus, votre bébé fera un rot et tout l'air avalé sera expulsé. Donc, fini les inquiétudes!
- Il n'est pas conseillé de laisser le bébé s'endormir avec son biberon de lait à cause des risques de carie dentaire. Profitez de l'heure du dodo pour passer un moment de détente avec votre enfant en lui offrant tout doucement son dernier boire de la journée.
- Il n'est pas nécessaire de stériliser les biberons. Par contre, ils doivent être très bien nettoyés. Ainsi, avant la première utilisation et par la suite, lavez-les méticuleusement à l'eau

chaude et savonneuse à l'aide des brosses conçues spécialement à cet effet. Prenez soin de bien les rincer à l'eau bouillante, de les assécher et de les couvrir. Vous pouvez également utiliser le lave-vaisselle.

- Si vous ne pouvez les nettoyer immédiatement, veillez à bien les rincer à l'eau tout de suite après le boire.

La température du lait

- Beaucoup de parents hésitent à donner du lait froid à leur enfant de peur de causer des problèmes digestifs. En réalité, votre bébé préférera le lait tiède plutôt que froid.
- Lorsque vous réchauffez le lait, évitez de le faire bouillir car cela détruirait plusieurs des éléments nutritifs importants pour la croissance de votre enfant.
- Le réchauffement du lait doit se faire avec précaution. Plusieurs méthodes peuvent être utilisées. Il est cependant préférable de déposer le biberon de lait dans une casserole d'eau chaude ou dans un chauffe-biberon.
- L'utilisation du four à micro-ondes n'est pas recommandée car le contenu peut être brûlant alors que le contenant reste froid. Si vous décidez tout de même d'avoir recours à cette méthode, prenez soin d'enlever le bouchon et la tétine avant de tiédir le lait et utilisez de préférence une bouteille de plastique. Programmez ensuite de courtes périodes de réchauffement à la fois. Finalement, agitez le biberon à plusieurs reprises afin de bien répartir la chaleur et vérifiez la température du lait.
- Pour vérifier la température du lait, il suffit d'en laisser couler quelques gouttes sur votre poignet. Quand aucune sensation de froid ou de chaud n'est ressentie, c'est que le lait est à la température idéale et conserve ainsi toute sa valeur nutritive.

- La plupart des enfants commencent à boire des liquides réfrigérés à partir de 10 à 12 mois. Bébé s'adaptera à leur température.

Certains bébés peuvent boire moins, mais plus souvent. Les quantités indiquées peuvent varier d'un enfant à l'autre. Si les couches sont bien imbibées et que la croissance est normale, c'est que votre bébé boit suffisamment. L'introduction des aliments solides diminue légèrement la quantité de lait consommée auparavant.

Toutefois, le lait demeure la base de l'alimentation pendant toute la première année de l'enfant ; les aliments solides complètent le lait et ne le remplacent pas. C'est pourquoi il est important de donner le lait avant les aliments solides, jusqu'à ce que l'introduction des viandes, céréales, fruits et légumes soit complétée et que les portions soient suffisantes. Par la suite, le lait pourra être offert à la fin des repas seulement. Certains bébés accepteront cependant la moitié de leur biberon avant les solides et le reste à la fin des repas. Voyez ce qui est préférable pour votre enfant.

Guide APPROXIMATIF de la quantité de lait à offrir selon l'âge

Âge	Nombre de biberons	Quantité par biberon	Quantité par jour
1er mois	6 à 8	60 à 150 ml (2 à 5 on)	450 à 750 ml (15 à 25 on)
1 à 2 mois	5 à 8	90 à 210 ml (3 à 7 on)	600 à 900 ml (20 à 30 on)
3 à 6 mois	4 à 6	150 à 240 ml (5 à 8 on)	840 à 1020 ml (28 à 34 on)
7 à 12 mois	3 à 5	180 à 240 ml (6 à 8 on)	720 à 840 ml (24 à 28 on)

Le sevrage

La transition vers le lait de vache doit se faire graduellement après l'âge de 1 an pour éviter des inconforts digestifs (constipation, diarrhée, malabsorption, etc.).

✔ Transition du lait maternel aux préparations pour nourrissons ou vers le lait de vache :

- Toujours donner le premier biberon du nouveau lait en après-midi.
- Au début, ne jamais donner deux boires consécutifs du nouveau lait.
- Alterner entre le lait maternel et le nouveau lait selon l'horaire du bébé et votre confort.
- Laisser passer de 4 à 7 jours avant de poursuivre l'introduction du nouveau lait. Si votre enfant est âgé de plus de 12 mois, l'introduction peut être plus rapide.
- Les boires du matin et du coucher sont habituellement éliminés les derniers.

✔ Transition des préparations pour nourrissons au lait de vache.

- Remplacer graduellement une partie de la préparation pour nourrissons par le lait de vache. Voici un exemple :
  1. 1/4 lait de vache, 3/4 préparation pour nourrissons
  2. 1/2 lait de vache, 1/2 préparation pour nourrissons
  3. 3/4 lait de vache, 1/4 préparation pour nourrissons
- Laisser passer de 3 à 5 jours entre les différentes étapes.

Gobelet, verre, tasse

- Vers l'âge de 7 à 9 mois, votre enfant pourra commencer à boire au gobelet à un ou plusieurs trous ou muni d'un bec verseur (bec anti-dégât) ou encore au verre.

- Faites la transition graduellement en offrant différentes formes d'ouverture du couvercle. L'enfant fera son choix. La quantité de lait consommée chaque jour restera la même, mais elle sera répartie entre le biberon et le gobelet.
- Le dispositif du verre anti-dégât exige une meilleure succion chez l'enfant. Ne pas l'utiliser avant l'âge de 6 mois.

Chapitre 4

Le développement du bébé

▼

Votre bébé, ce petit être à la fois si fragile et si fort, suscite probablement de nombreuses questions au plan alimentaire. Quelles sont les différentes étapes de son développement à connaître ou à surveiller ? Quand faudra-t-il commencer à lui donner des aliments solides ? Comment savoir s'il est prêt à mastiquer ? Ne risque-t-il pas de s'étouffer en avalant des morceaux ? Aura-t-il les mêmes goûts que vous ? Nous tenterons de répondre à ces questions dans le présent chapitre.

Un bébé en bonne santé grandit et grossit rapidement au cours de sa première année. Votre bébé va doubler son poids de naissance à l'âge de 4 ou 5 mois et le tripler vers l'âge 12 mois ! Les besoins énergétiques varient d'un nourrisson à l'autre et le seul critère permettant de juger que cet apport est suffisant est un gain de poids normal. Pendant ses premiers mois de vie, votre nourrisson devrait gagner de 20 à 30 grammes par jour. Soulignons que le gain de poids d'un enfant allaité au sein est légèrement inférieur à celui qui est nourri avec une préparation lactée pour nourrissons.

Les visites régulières chez le pédiatre ont pour but de vérifier si la croissance du bébé est adéquate. Votre médecin va peser votre enfant, mesurer sa taille et son périmètre crânien. Il notera ensuite ces différentes données sur des courbes de poids et de taille établies selon l'âge et le sexe du bébé. Sans entrer dans les détails de l'interprétation de ces courbes, il est bon de savoir que la croissance est harmonieuse quand le bébé suit toujours la même courbe.

Les étapes de croissance du bébé

La santé de votre bébé dépend de son alimentation. Voici les grandes lignes des principales étapes de son développement jusqu'à l'âge de 1 an.

Nouveau-né : La première tétée a lieu dès la naissance. Le nourrisson a un bon réflexe de succion.

À 3 mois : Le bébé a un meilleur contrôle de la tête et du cou. Il porte ses mains à sa bouche. Le réflexe de succion se modifie pour faire place à des mouvements plus volontaires et variés.

À 6 mois : Introduction des solides pour le bébé allaité au sein. Le bébé nourri avec une préparation lactée commence à manger plus tôt, soit vers 4 à 5 mois. Ses expressions faciales nous permettent de voir s'il aime ou non les aliments qu'on lui propose. Il contrôle bien ses mâchoires. Il produit suffisamment de salive et a moins tendance à expulser les aliments avec sa langue (*suckling*).

À 7-9 mois : À 8 mois, le bébé mange des purées plus épaisses et plus texturées. Sa langue bouge davantage et il manipule mieux les aliments. Il commence à manger avec ses doigts et à boire au moyen d'un verre à bec.

À 9-12 mois : Bébé s'assoit et il sait mâcher. Il bouge sa langue latéralement et l'utilise adéquatement pour pousser les aliments solides vers l'arrière de sa bouche et ensuite les avaler. À 12 mois, il mange à l'aide de ses mains et il boit au verre.

La poussée dentaire est variable d'un enfant à un autre. Par contre, plusieurs bébés sont capables de manger des morceaux même s'ils n'ont que 2 ou 4 dents. Un bébé n'a pas besoin d'avoir des dents pour mâcher ; lorsque les aliments sont mous, les gencives font le travail adéquatement.

Pour assurer la sécurité du bébé, retenez cette règle d'or : lorsqu'il mangera des aliments plus texturés ou en petits morceaux, il devra le faire bien assis à table, sous la supervision d'un adulte, et non en courant partout dans la maison.

Tableau récapitulatif de l'évolution du bébé

Âge	Sortes d'aliments	Signes d'appétit	Mode d'alimentation
0-4 mois	• Liquides	• Pleure pour être nourri	• Sein/biberon
4-6 mois	• Liquides et purées lisses	• Pleure pour être nourri • Nourri à la cuillère	• Sein/biberon
7-9 mois	• Liquides, purées texturées, aliments mous, aliments écrasés à la fourchette, en petits morceaux ou en cubes	• Demande à être nourri	• Utilise ses doigts • Initiation à utiliser la cuillère • Utilise le verre à bec
9-12 mois	• Liquides • Aliments mous et hachés grossièrement • Morceaux • Mets de la famille	• Demande à être nourri • Utilise la cuillère • Boit au verre	• Utilise ses mains

Développement et maturation du goût

- Le goût est une perception complexe de la saveur, de l'odeur et de la texture des aliments. Le plaisir, la composante sensuelle, est également impliqué.
- Le goût se développe très tôt. En effet, les bourgeons gustatifs apparaissent vers la septième ou la huitième semaine de gestation et arrivent à maturité vers le troisième trimestre de la grossesse (5e mois).
- À la naissance, les bourgeons gustatifs sont assez sensibles pour apprécier des variations subtiles de saveurs d'aliments. Il existe quatre saveurs de base: le sucré, le salé, l'acide et l'amer. Récemment, on a identifié une cinquième saveur, appelée «umami» et qui désigne le goût particulier du glutamate de sodium.
- **Le sucré**: C'est la saveur préférée des bébés et elle est innée.
- **Le salé**: Cette saveur se développe après la naissance, particulièrement vers l'âge de 4 mois.
- **L'acide**: Il est reconnu dès la naissance et démontré par des grimaces faciales du bébé.
- **L'amer**: Le seuil de tolérance de l'amertume varie d'un enfant à l'autre. De petites concentrations peuvent passer inaperçues chez certains, mais pas chez d'autres. Toutefois, une grande concentration d'amertume va provoquer des grimaces chez tous les bébés.
- Le goût relève à 80% de l'odorat. Le nouveau-né a un odorat aussi développé que celui de l'adulte. Lorsqu'il a le nez congestionné, les aliments lui paraissent insipides. La température et la texture des aliments ajoutent ou nuisent à leur saveur.
- Bien avant sa naissance, le bébé a été exposé à toutes sortes de saveurs par le glucose, les acides aminés, l'acide

lactique et le sel présents dans le liquide amniotique. Il semblerait même que le liquide amniotique prendrait l'odeur des mets ingérés par la mère, ce qui donnerait ainsi une expérience olfactive au fœtus.

- Le lait maternel prend aussi le goût des aliments ingérés par la mère et, par conséquent, donne à l'enfant une expérience variée de saveurs et d'odeurs bien avant l'introduction des solides.
- Le lait d'une mère au régime alimentaire diversifié (voir chapitre 2, p. 27) présente divers goûts d'une tétée à l'autre. Cependant, une préparation lactée a toujours le même goût. Les bébés nourris au sein sont donc exposés à des saveurs plus diversifiées que les enfants nourris au biberon.
- D'une façon générale, les préférences gustatives se manifestent avec le temps, à chaque exposition aux saveurs et aux odeurs. Au fur et à mesure que les nourrissons se familiarisent avec les nouveaux aliments et qu'ils ont des occasions répétées de goûter et de consommer ces aliments, ils les acceptent davantage.

Quelques conseils pour faciliter l'introduction des nouveaux aliments

- L'introduction des solides et des nouveaux aliments est facilitée par un climat de calme et de confiance.
- Les nouveaux aliments doivent être introduits un à la fois, tous les 2 à 3 jours, et non mélangés entre eux.
- Présenter un aliment familier avec un nouvel aliment augmente ses chances d'acceptation.
- Les parents doivent comprendre que la néophobie, c'est-à-dire la peur d'essayer de nouveaux aliments, est normale et peut s'atténuer avec le temps. Il ne faut pas croire qu'un enfant qui rejette un aliment la première fois le fera toujours.

- Il faut ajouter un seul nouvel aliment à la fois. Si votre bébé le rejette, offrez-lui des aliments déjà connus et représentez-lui le nouvel aliment en question quelques jours plus tard. Des études ont démontré que c'est à la cinquième, voire même à la dixième tentative que le bébé va accepter un nouvel aliment ! Il ne faut donc pas vous décourager.
- Le fait de proposer au nourrisson une variété de saveurs, de flaveurs (goût et odeur combinés) et de textures est un moyen efficace d'augmenter l'acceptation de nouveaux aliments.
- Avant de présenter des aliments à la cuillère, vous pouvez permettre à votre bébé d'y goûter en lui en mettant une petite quantité sur les gencives, les lèvres ou la langue.
- Il est facile d'offrir au bébé des purées lisses, mais faites attention de ne pas stagner dans cette situation. Il faut modifier les textures graduellement, au fur et à mesure que votre bébé grandit !
- Il est bon de renouveler constamment les tentatives d'introduction des aliments solides.
- Un grand défi se présente aux parents : ne pas laisser l'enfant dicter le rythme et l'horaire des repas. Il est normal, au début, que le nouveau-né soit nourri à son rythme quand il a faim. Dès que possible, favorisez les repas en famille.
- Le dégoût d'un aliment déclenche chez l'enfant la nécessité de le cracher ; il ne faut donc pas s'en inquiéter, c'est un phénomène purement réflexe.
- Les parents sont responsables de la préparation et de la présentation appropriée d'aliments sains à leur bébé. Mais c'est l'enfant qui est responsable de la quantité d'aliments ingérée.

- Forcer un bébé à finir son biberon ou le contenu de son assiette peut le mener à des problèmes d'obésité. Il faut respecter son appétit.
- Un enfant va manger lorsqu'il a faim et prendre la quantité dont il a besoin pour sa croissance. Il ne faut pas le décourager avec de grosses portions. Mieux vaut lui offrir des petites portions et le resservir s'il en redemande.

Nous espérons que ces quelques pages vous ont permis de mieux connaître les étapes de croissance de votre bébé. Il faut surtout retenir qu'en offrant une variété d'aliments à votre enfant, vous lui permettez de développer ses propres goûts tout en lui fournissant une alimentation nutritive et équilibrée. Il est prouvé que les bébés qui expérimentent un large éventail de saveurs, d'odeurs et de textures seront plus ouverts à une grande variété d'aliments dans leur vie future.

Chapitre 5

L'introduction des aliments solides

▼

Depuis quelques années, des changements importants ont eu lieu dans le domaine de l'alimentation des nourrissons, particulièrement en ce qui concerne l'introduction des aliments solides.

À la suite de nombreuses études, un consensus s'est établi au sein de la communauté scientifique et médicale, confirmant que le lait maternel demeure l'aliment le plus complet pour répondre aux besoins nutritionnels du nourrisson jusqu'à l'âge de 6 mois. Par contre, si le bébé est nourri avec une préparation lactée commerciale, l'introduction des solides se fera vers 4-5 mois.

L'introduction des aliments solides représente une étape importante dans la vie du nourrisson. Les parents sont appelés à se questionner et à se positionner sur l'âge idéal et la période la plus propice pour entamer ce processus chez leur bébé.

L'initiation aux aliments solides est le début d'un long apprentissage. Durant la première année de vie, plusieurs changements seront apportés à l'alimentation du bébé. Cette période de transition doit être adaptée à la croissance et au développement de chaque enfant.

Avantages de l'introduction des aliments solides vers l'âge de 6 mois

- Une diminution du risque d'allergie ou d'intolérance.
- Une activité enzymatique adéquate du système digestif pour une meilleure absorption des nutriments.
- Le maintien de la production lactée de la mère.
- Une meilleure coordination neuromusculaire du nourrisson.
- Une plus grande facilité à alimenter le bébé.
- Une diminution du risque d'infection et d'obésité.
- La maturité du système immunitaire.
- Une production suffisante de salive pour lubrifier les aliments et en faciliter la déglutition.

Pour répondre aux besoins accrus du nourrisson en fer, en protéines et en calories, l'introduction des solides devrait débuter au 6e mois. La plupart des enfants montrent des signes lorsqu'ils sont prêts à manger. Voici les principaux.

- L'enfant est insatiable ; la fréquence des tétées augmentent de façon marquée et se maintient pendant plusieurs jours consécutifs sans raison apparente (maladie, fièvre, poussée de croissance).
- Ses réflexes de déglutition sont bien coordonnés.
- Son tonus est suffisamment développé pour soutenir sa tête et se tenir assis.
- Il produit suffisamment de salive pour avaler facilement.

- Il a moins tendance à expulser les aliments avec sa langue (*suckling*).
- Il est capable d'avaler des solides sans l'aide d'une tétine.

L'introduction précoce des aliments solides chez un enfant qui n'a pas toutes les habiletés neuromusculaires requises peut entraîner des frustrations, à la fois pour l'enfant et pour la mère; la période des repas se prolonge indûment ou devient désagréable. L'introduction prématurée de nourriture solide peut aussi réduire la consommation de lait maternel et, par conséquent, diminuer l'absorption de certains nutriments comme le fer.

Par contre, l'introduction tardive des solides peut retarder l'acquisition des habiletés oro-motrices. Ainsi, cela pourrait entraîner une faible consommation de nourriture solide, une transition plus difficile vers des aliments texturés et des carences nutritionnelles en fer, en protéines ou en calories.

L'introduction des solides vient compléter les besoins nutritionnels du nourrisson en croissance et doit toujours être adaptée à son rythme de développement. N'oubliez pas que le lait, maternel ou commercial, constitue l'aliment de base de votre enfant durant toute sa première année de vie. Votre bébé mangera sa première cuillerée de céréales vers l'âge de 6 mois et finira par manger la même nourriture que vous quand il soufflera sa première bougie.

Mais avant d'initier votre bébé aux aliments solides, voyons quelques règles élémentaires à respecter.

MYTHE :

Donner des céréales au bébé l'aidera à « faire ses nuits ».

RÉALITÉ :

Il est faux de croire que donner des céréales précocement à un bébé l'aidera à faire ses nuits plus tôt. Selon des études menées auprès de nourrissons, aucune différence dans les habitudes de sommeil n'a été observée entre les bébés qui ont mangé des céréales avant d'aller au lit et ceux qui n'en n'ont pas consommé. De plus, comme le jeune bébé ne sécrète pas suffisamment d'amylase, soit l'enzyme pancréatique permettant de digérer l'amidon des céréales, il risque de montrer des signes de mauvaise absorption.

Des règles d'or à suivre

Lorsqu'on commence à offrir de nouveaux aliments au bébé, il est sage de respecter les règles suivantes :

- **Introduire un seul aliment à la fois**
  On peut ainsi cerner rapidement l'aliment responsable d'une intolérance ou d'une allergie.
- **Introduire une petite quantité du nouvel aliment**
  Il est suggéré de donner 5 ml (1 c. à thé) maximum par jour du nouvel aliment.
- **Introduire le nouvel aliment pendant 3 jours consécutifs**
  Cela permet de vérifier la tolérance de l'enfant au nouvel aliment.

SIGNES D'INTOLÉRANCE OU DE RÉACTION ALLERGIQUE APRÈS L'INGESTION D'UN ALIMENT

- Des éruptions, de l'urticaire, de l'irritation cutanée.
- Des sécrétions nasales semblables à celles d'un rhume.
- Une respiration sifflante, de l'asthme.
- Un picotement des yeux.
- Des vomissements, de la diarrhée, de la constipation.
- De l'irritabilité, des coliques.

Les signes d'intolérance ou d'allergie varient d'un enfant à l'autre. Ils peuvent se manifester immédiatement après l'ingestion d'un aliment ou quelques heures, voire même quelques jours après l'ingestion. Il faut rester vigilant.

Si vous observez un ou plusieurs des symptômes énumérés plus haut, cessez de donner cet aliment et discutez-en avec une diététiste ou le médecin de l'enfant.

Première étape : les céréales pour nourissons

Le premier aliment qu'on présente au nourrisson diffère selon les cultures et coutumes du pays. L'ordre d'introduction des aliments n'est pas vraiment important en autant que ces aliments soient riches en éléments nutritifs et permettent à l'enfant d'expérimenter des textures et des goûts variés. Au Québec, les céréales sont habituellement offertes en premier.

Pourquoi ?

Les céréales pour bébés sont enrichies d'éléments nutritifs (fer, vitamines du complexe B, etc.). Cet enrichissement comble les besoins grandissants du nourrisson, prévient l'épuisement des réserves de fer et l'anémie.

Sur le marché, on les trouve facilement dans plusieurs variétés dont le riz, l'orge, l'avoine et le soja. La céréale de riz étant considérée comme la moins allergène, on l'offre souvent en premier. Évitez de donner des céréales mélangées avant d'avoir introduit, au préalable, chacune des céréales à grain unique contenues dans cette céréale mixte. Les céréales contenant des fruits ou des légumes ne sont recommandées qu'après avoir introduit le fruit ou le légume concerné dans l'alimentation du bébé.

Comment ?

Pour préparer la céréale, il suffit de lui ajouter un volume équivalent de lait maternel, de préparation lactée commerciale ou d'eau. Au début, il est conseillé d'offrir un mélange d'une consistance assez liquide. On pourra par la suite l'épaissir graduellement, selon les habiletés de l'enfant. Offrir les céréales avec une petite cuillère pour bébé et éviter de les sucrer.

MYTHE :

On peut ajouter des céréales dans le biberon de lait.

RÉALITÉ :

Ajouter des céréales dans le biberon retardera l'apprentissage du bébé vers l'autonomie alimentaire. Il est préférable d'offrir les céréales à la cuillère.

Quand ?

Il n'y a pas de moment idéal de la journée pour offrir les céréales à l'enfant. L'important, c'est que le bébé soit en forme. Le matin ou le soir, après le boire, sont habituellement des moments souhaitables.

La quantité quotidienne de céréales va augmenter progressivement jusqu'à l'âge de 1 an pour atteindre environ 175 ml (3/4 tasse) de céréales sèches par jour.

Déjeuner[1]*: lait et céréales*
Dîner: lait
Souper: lait et céréales

Remarque: Il n'est pas nécessaire d'avoir introduit tous les aliments de la même étape avant de passer à l'étape suivante.

Deuxième étape: les légumes

L'introduction des solides se poursuit avec les légumes. On peut commencer par la carotte, la courge, la courgette, les haricots jaunes et poursuivre avec les haricots verts, la patate sucrée, les pois verts..., dépendant de leur disponibilité sur le marché.

Pourquoi?

Les légumes sont riches en fibres, en vitamines (A et C, notamment) et en minéraux. Ils apportent d'autres éléments nutritifs à l'alimentation du nourrisson. Leurs fibres favorisent des selles régulières et aident à prévenir la constipation.

Comment?

Utiliser des légumes frais ou congelés. Laver, parer et faire cuire les légumes sans ajout de sel jusqu'à tendreté, à la vapeur ou dans un minimum d'eau pour conserver le plus d'éléments nutritifs possible. Réduire les légumes en purée à l'aide d'un robot culinaire ou d'un mélangeur pour obtenir la consistance désirée; si nécessaire, ajouter de l'eau pour ajuster la texture de la purée. Éviter les légumes en conserve dont la teneur en sodium est trop élevée.

1. En Europe: petit déjeuner, déjeuner et dîner.

On retrouve naturellement des nitrates dans l'eau et dans le sol ; certains légumes en contiennent davantage que d'autres. C'est le cas de la carotte, de la betterave, des épinards et des navets. Pris en grande quantité, les nitrates peuvent être toxiques pour le nourrisson tout en nuisant à l'absorption d'autres éléments nutritifs. La carotte peut quand même être offerte si l'on n'utilise pas l'eau de cuisson pour préparer la purée. Par prudence, il vaut mieux éviter de donner les autres légumes riches en nitrates, soient la betterave, les épinards et les navets, avant l'âge de 9 mois.

MYTHE :

Mon bébé adore les carottes, je peux donc lui en donner souvent !

RÉALITÉ :

La carotte est un légume généralement bien aimé des tout-petits. Lorsque quelques aliments ont été introduits dans un même groupe (celui des légumes par exemple), il est important de varier les aliments offerts afin de mieux rencontrer les besoins nutritionnels de l'enfant. De plus, la carotte contient beaucoup de nitrates ; il est préférable d'en limiter la consommation.

Pour débuter, offrir à l'enfant une purée lisse. Lorsque l'enfant est plus vieux (vers 8 mois), épaissir graduellement la texture de la purée. Vers l'âge de 9 mois, des légumes cuits peuvent être écrasés à la fourchette.

Quand ?

Les légumes sont d'abord offerts au dîner, seuls ou avant les céréales, pour aider le bébé à les accepter. Quand il se sera habitué à ce groupe d'aliments, on pourra lui en offrir deux fois par jour, au dîner et au souper.

Déjeuner : *lait et céréales*
Dîner : *lait et légumes*
Souper : *lait, légumes et céréales*

Troisième étape : les fruits

Les fruits peuvent être donnés après avoir commencé l'introduction des légumes. Voici quelques variétés à offrir : pomme, poire, pêche, abricot, prune, banane, pruneaux, ananas, etc.

Retarder l'introduction du kiwi après l'âge de 1 an.

Pourquoi ?

Tout comme les légumes, les fruits fournissent des vitamines, des minéraux et des fibres bénéfiques au nourrisson. De plus, ils apportent de la couleur, du goût, de la texture et de la variété au menu offert à l'enfant.

Comment ?

Les fruits frais doivent être lavés, parés et cuits à la vapeur ou dans un minimum d'eau avant d'être réduits en purée au moyen d'un robot culinaire ou d'un mélangeur. Les fruits frais, mûrs et tendres comme la banane ou la poire peuvent être mangés crus, écrasés à la fourchette. Les fruits doivent être servis nature, sans addition de sucre, de miel, de sirop, etc.

Pour offrir une plus grande variété, les fruits en conserve peuvent être utilisés en prenant soin de retirer le sirop avant de les mettre en purée ou de les écraser à la fourchette. Les fruits congelés, sans sucre ajouté, sont également utiles pour varier les purées.

Si vous achetez des purées de fruits commerciales, assurez-vous de bien lire les étiquettes et d'éviter les purées contenant des substances épaississantes (tapioca, amidon ou farine, par exemple) ou encore des sucres ajoutés (glucose, sirop de maïs, etc.).

Quand ?

Habituellement bien acceptés par les bébés, les fruits sont donnés à la fin des repas. Il n'est pas nécessaire d'avoir introduit tous les légumes avant de passer aux fruits. L'introduction de quelques légumes et de quelques fruits permettra de composer un petit repas plus rapidement, soit :

Déjeuner : lait, céréales et fruits
Dîner : lait, légumes et fruits
Souper : lait, céréales, légumes et fruits

Quatrième étape : les viandes et substituts

Il est temps de présenter les viandes et leurs substituts au bébé. L'agneau, le poulet et la dinde étant moins allergènes, ils sont offerts en premier. Ils seront suivis du veau, du bœuf, du porc, du foie, des légumineuses (pois chiches, lentilles, haricots rouges, gourganes, pois cassés, etc.), du tofu nature et, finalement, du jaune d'œuf.

La viande de gibier peut être donnée au bébé, mais il faut s'assurer des bonnes conditions d'hygiène de l'animal, de son abattage jusqu'à sa consommation. Les abats de gibier doivent être évités car ils peuvent contenir des contaminants et des polluants.

Pourquoi ?

Excellente source de protéines, de fer et de zinc, les viandes et substituts viennent compléter les besoins nutritionnels de l'enfant. Elles apportent une quantité variable de matières grasses.

Comment ?

Il faut prendre soin de bien cuire les viandes et les volailles avant de les transformer en purée. Ne jamais utiliser de sel, ni d'assaisonnement salé tel que de la sauce soja ou du bouillon commercial. Pour faciliter la mise en purée, on peut utiliser de l'eau ou du bouillon de cuisson.

Au début, il est suggéré de donner de la purée de viande simple pour que l'enfant s'habitue à la saveur particulière de chacune.

On offre le jaune d'œuf bien cuit, additionné d'un peu de lait ou encore mélangé aux légumes ou aux céréales. Le blanc d'œuf étant plus allergène, il vaut mieux l'introduire après l'âge de 1 an. Ne jamais donner de jaune d'œuf cru ou d'œuf entier cru pour éviter toute intoxication alimentaire par la salmonelle.

Les légumineuses et le tofu nature sont des choix avantageux, nutritifs, peu coûteux et de bons substituts à la viande. Prenez soin de bien cuire les légumineuses avant de les réduire en purée ou tout simplement de les écraser à la fourchette. On peut facilement mélanger les légumineuses à la purée de légumes. Le tofu nature peut être offert en purée, émietté ou en petits morceaux mélangés à des légumes, de la viande ou intégrés à vos mets préférés.

Il n'est pas recommandé de donner à votre enfant des charcuteries telles que jambon, viande fumée, salami, saucisson, etc. Ces aliments renferment beaucoup de gras, de nitrites, d'épices et de sel. Les viandes en conserve doivent être évitées en raison de leur teneur élevée en sel.

Il est conseillé de retarder l'introduction du beurre d'arachide, du poisson et des fruits de mer après l'âge de 1 an à cause du risque d'allergie.

Quand ?

Les viandes et substituts se servent au dîner ou au souper, en début de repas.

Il n'est pas nécessaire d'avoir fait le tour des légumes et des fruits avant d'introduire les viandes et substituts. Quelques aliments de chaque groupe suffisent à composer un repas complet plus facilement.

Déjeuner : céréales, fruits et lait
Dîner : viande ou substitut, légumes, fruits et lait
Souper : céréales ou viande ou substitut, légumes, fruits et lait

Cinquième étape : le fromage et les produits laitiers

Le fromage est une alternative pratique pour varier le menu du bébé et remplacer la viande. Les fromages doux sont bien acceptés par la majorité des enfants. Les fromages mous (cottage, ricotta…) sont servis tels quels, à la cuillère. Les fromages à pâte ferme (cheddar, mozzarella ou Brick) seront présentés en petits morceaux ou en dés que le tout-petit pourra saisir avec ses doigts lorsque ses habiletés motrices le lui permettront. Ils peuvent aussi être râpés et ajoutés aux mets cuisinés.

Le yogourt maison ou commercial peut être donné en remplacement du fruit aux repas ou en collation entre les repas. Servez-le nature ou additionné de fruits en purée ou écrasés à la fourchette. Assurez-vous cependant que le ou les fruits en question sont déjà bien tolérés par votre bébé.

Le fromage aux fruits est considéré comme un dessert et peut être offert après l'âge de 10 mois.

MYTHE :

Le fromage constipera mon enfant!

RÉALITÉ :

Le fromage ne contient pas de fibres alimentaires. Toutefois, une alimentation saine et variée comprenant des céréales, des fruits et des légumes fournira les fibres nécessaires pour prévenir la constipation.

Purées maison ou purées commerciales ?

Les purées maison représentent toujours un choix judicieux. Elles sont nutritives, savoureuses et économiques.

Voici les étapes à suivre pour préparer ces purées :

- Choisir des aliments frais ou congelés.
- Laver, parer les légumes et les fruits en enlevant les parties non comestibles. Pour les viandes, privilégier des coupes maigres.
- Cuire les légumes et les fruits rapidement, à la vapeur ou dans un minimum d'eau, jusqu'à tendreté. La viande doit être cuite au four ou au court-bouillon pour conserver toute sa valeur nutritive.
- Déposer les aliments dans un robot culinaire ou un mélangeur pour les réduire en purée jusqu'à l'obtention de la texture désirée. Il peut être nécessaire d'ajouter un peu de liquide : de l'eau pour les légumes et les fruits ou du bouillon de cuisson pour la viande.
- Conserver la purée au réfrigérateur quelques jours si vous prévoyez l'utiliser dans un court délai : de 1 à 2 jours pour

la viande ou de 2 à 3 jours pour les fruits et légumes. Sinon, on peut congeler les purées.

- Pour congeler, verser la purée d'aliments tiède dans des moules à glaçons ou dans des petits contenants. Couvrir et refroidir au réfrigérateur. Déposer ensuite les contenants couverts de papier ciré dans le congélateur, pendant 8 à 12 heures.
- Par la suite, ranger les cubes de purée gelée dans des sacs de plastique destinés à la congélation. Ne pas oublier de faire le vide et de bien identifier l'aliment et la date de congélation sur le sac. La durée de conservation au congélateur est d'environ 6 mois pour les fruits et légumes et de seulement 2 mois pour la viande.

MYTHE :

Si je ne rajoute pas de sel, mes purées maison ne goûteront rien !

RÉALITÉ :

Il faut se rappeler que ce qui peut nous paraître fade ne l'est pas nécessairement pour l'enfant. Souvent, les petits préfèrent le goût naturel des aliments. Si vous voulez donner plus de saveur aux aliments, il est préférable d'ajouter de petites quantités d'épices ou de fines herbes lors de la cuisson.

Le marché des aliments pour bébés est en pleine expansion. De nouveaux produits sont continuellement offerts pour combler à la fois les besoins des nourrissons et ceux des parents qui manquent de temps pour préparer des purées maison.

Par souci d'offrir ce qu'il y a de meilleur pour leurs enfants, les parents doivent s'assurer de la pertinence, de la valeur nutritive et de la nécessité de ces produits. Avant d'en acheter, prenez le temps de bien vérifier la liste des ingrédients pour choisir des purées nutritives, contenant le moins d'additifs possible (sans ajout de sucre, d'amidon, etc.). Assurez-vous également que chaque composante du mélange est déjà intégrée au régime alimentaire de votre bébé pour éviter un ingrédient ou un aliment qu'il ne tolère pas.

Vous avez l'embarras du choix parmi les nombreux produits commerciaux offerts ! Que vous optiez pour des conserves en petits pots de verre ou des portions individuelles congelées, rappelez-vous que les aliments les plus simples sont habituellement les plus appréciés des enfants.

La texture des aliments

Habituellement, les aliments sont d'abord offerts en purée de consistance lisse. Au fur et à mesure que les habiletés oromotrices de l'enfant se développent, les purées doivent être de plus en plus consistantes, puis écrasées à la fourchette, pour finalement progresser, autour de l'âge de 1 an, vers la nourriture hachée et coupée en petits morceaux. Lorsque l'enfant est capable de prendre un aliment avec ses doigts et de le porter à sa bouche, on peut lui offrir des aliments mous : par exemple, des petites tiges de brocoli cuit, des carottes cuites en dés, des morceaux de banane mûre, des pêches en conserve, des cubes de fromage, des morceaux de pain séché, etc.

Vers 10 mois, l'enfant est de plus en plus autonome et prêt à manger seul. D'ailleurs, il manifeste souvent le désir de se nourrir par lui-même. On doit l'encourager à le faire même s'il fait des petits dégâts. C'est ainsi qu'il pourra poursuivre son apprentissage psychomoteur.

Il n'y a pas d'âge précis pour passer d'une texture à l'autre ; il faut être attentif au développement de son enfant. Vers l'âge de 8 mois, les purées lisses doivent représenter une faible proportion de son alimentation et faire place aux purées plus épaisses ou aux aliments plus texturés.

Les aliments, avec toutes leurs saveurs et textures variées, représentent un univers unique à découvrir.

L'eau et les jus de fruits

L'eau

Un enfant allaité n'a pas besoin d'eau en complément. L'allaitement répond à ses besoins hydriques. Toutefois, un nourrisson alimenté avec une préparation lactée commerciale peut avoir besoin d'eau entre les boires. Mais on doit éviter de donner de l'eau une heure avant le boire pour ne pas nuire à l'appétit de l'enfant.

L'eau servie aux nourrissons pour étancher leur soif ou utilisée dans la préparation des aliments doit être propre et exempte de contaminants microbiologiques et chimiques. L'eau du robinet, l'eau de puits qui satisfait aux normes sanitaires de même que l'eau de source embouteillée (non gazéifiée) sont des eaux qui conviennent généralement. Par contre, on évite de donner aux bébés de l'eau distillée et de l'eau traitée avec un appareil domestique, car leur teneur en minéraux est inadéquate.

L'eau du robinet est soumise à des contrôles et à une surveillance systématiques ; sa qualité chimique et bactériologique doit répondre à des normes gouvernementales. Il importe de ne servir que de l'eau froide et de la faire couler quelques instants avant de l'utiliser. En effet, l'eau chaude du robinet contient plus de plomb et de contaminants non sécuritaires pour la consommation.

Quant à l'eau de puits, il est recommandé de contrôler sa teneur en métaux lourds (arsenic, nitrates, etc.) et en bactéries coliformes au moins deux fois par année.

Notez que toutes ces eaux ne sont pas stériles et qu'il est recommandé de les faire bouillir à gros bouillons, de 2 à 5 minutes dans une casserole couverte, pour les nourrissons de moins de 4 mois. L'eau bouillie peut être conservée dans un contenant stérile et fermé hermétiquement, au réfrigérateur pendant 2 à 3 jours ou à la température de la pièce pendant 24 heures.

Les jus de fruits

Les jus de fruits ne sont pas essentiels dans l'alimentation de l'enfant si la consommation de fruits est suffisante. De plus, les jus ne devraient jamais remplacer le lait.

Les jus contiennent des sucres (fructose et sorbitol) qui présentent des risques lorsqu'ils sont consommés en quantité excessive. En effet, boire trop de jus peut provoquer de la diarrhée, causer des caries dentaires et déséquilibrer suffisamment le régime alimentaire pour nuire à la consommation de nutriments essentiels. À long terme, l'enfant peut accuser un retard de croissance.

Toutefois, si vous offrez un jus de fruits à l'occasion, choisissez de préférence un jus naturel et pur à 100 % , sans sucre ajouté. Il vaut mieux le servir au verre et limiter sa consommation entre 60 et 120 ml (2 à 4 onces) par jour. Le servir froid ou à la température de la pièce ; ne pas le chauffer.

Les cristaux, les boissons, les punchs aux fruits, les cocktails et la limonade ne sont pas conseillés. Il n'est pas nécessaire d'acheter des jus de fruits spécialement destinés aux nourrissons. Les jus de fruits frais, en conserve ou congelés et reconstitués sont appropriés.

MYTHE :

Les jus de fruits étanchent la soif.

RÉALITÉ :

En consommant des fruits, qui contiennent environ 95 % d'eau, l'enfant n'a pas vraiment besoin de boire de jus pour se désaltérer. L'un des dangers à offrir des jus est que l'enfant réduise sa consommation de lait ou encore le préfère à celui-ci. De plus, une quantité excessive de jus peut causer divers problèmes de santé et de croissance. Pour étancher la soif par temps chaud, l'eau demeure la meilleure solution à offrir entre les boires.

Les tisanes, le thé, les boissons gazeuses : attention !

Les tisanes, même si elle sont considérées comme des boissons plus naturelles, ne devraient pas être données aux enfants. Leur petite taille et leur croissance rapide les rendent potentiellement plus vulnérables aux effets pharmacologiques des substances présentes dans les tisanes.

Les boissons gazeuses, les sodas et les boissons pour sportifs ne sont pas recommandés non plus en raison de leur teneur élevée en sucre et de leur faible valeur nutritive.

Il faut aussi éviter d'offrir des boissons contenant de la caféine comme le thé, le café, les colas et les boissons chocolatées. Leur effet stimulant bien connu ne convient pas aux jeunes enfants.

En conclusion, pour étancher la soif rien n'égale l'eau !

Repas et sociabilité

Pour tout individu, les aliments représentent beaucoup plus que le fait de se nourrir pour répondre aux besoins physiques. Ils font partie intégrante de la vie sociale d'un être humain et répondent également à des besoins psychologiques. L'heure des repas est souvent synonyme de moments agréables. Il en est de même pour l'enfant pour qui ce moment représente une occasion de socialisation.

Pour faciliter les apprentissages reliés à l'alimentation, les repas doivent être pris dans une atmosphère agréable, calme et détendue. Ils doivent favoriser les relations familiales et on doit donc éviter de manger en regardant la télévision ou en s'amusant avec des jouets.

Même si l'enfant ne mange que des aliments en purée, le fait de l'intégrer le plus tôt possible aux repas familiaux est un gage de succès pour l'avenir.

La sécurité alimentaire

Comme le système immunitaire du nourrisson n'est pas tout à fait apte à se défendre contre certaines bactéries très pathogènes, il est conseillé d'éviter certains aliments à risque pour l'enfant. En voici quelques-uns :

- Le miel, pasteurisé ou non, peut causer une intoxication alimentaire appelée « botulisme infantile » et ne doit pas être offert avant 1 an.
- Les œufs crus peuvent aussi provoquer une intoxication alimentaire par la salmonelle. Cette bactérie, souvent présente sur les coquilles d'œuf, peut se transmettre à l'aliment et le contaminer. Heureusement, la cuisson détruit cette bactérie. C'est pourquoi on conseille de donner des œufs bien cuits à l'enfant (le jaune seulement pour la première année de vie).

Pour des raisons pratiques et sécuritaires, il faut toujours rester à proximité de l'enfant lorsqu'il consomme de la nourriture et, surtout, ne pas le laisser se promener tout en mangeant. On doit éviter d'offrir au bébé des aliments petits, durs, ronds ou collants qui peuvent obstruer ses voies respiratoires (voir le chapitre 8, p. 109).

Les goûts des enfants

Rares sont les nourrissons qui raffolent de tous les aliments qu'on leur présente la première fois. Comme il s'agit de saveurs et de consistances différentes, l'enfant doit s'adapter. Il n'est pas surprenant de le voir grimacer ou recracher le nouvel aliment qu'on lui propose. Toutefois, en continuant de lui offrir l'aliment en question, il y a de bonnes chances que l'enfant finisse par l'apprécier.

Les goûts alimentaires des parents ne devraient pas influencer les choix proposés aux enfants. Offrez-leur la chance de goûter à une grande variété d'aliments.

Chaque personne a des goûts qui lui sont propres et les enfants ne font pas exception à cette règle. Il ne faut donc pas se surprendre de constater que les goûts divergent d'un enfant à l'autre. De plus, les goûts peuvent changer avec le temps. Par exemple, un tout-petit peut adorer la purée de brocoli à 7 mois, puis refuser de manger ce légume en morceaux à 12 mois. Il suffit de ne pas dramatiser la situation et de continuer à lui en offrir, mais en moins grande quantité. La période la plus propice pour initier l'enfant à différentes saveurs se situe entre 6 et 15 mois environ.

Gardez à l'esprit que l'enfant acquiert de bonnes ou de mauvaises habitudes alimentaires très jeune. À vous d'en profiter pour lui offrir une large variété d'aliments sains.

Attention aux aliments «allégés»!

La venue sur le marché de nombreux aliments «allégés», à teneur réduite en calories ou en matières grasses (yogourt et fromage sans gras, yogourt sucré à l'aspartame...), causent certains soucis aux professionnels de la santé qui travaillent en milieu pédiatrique. En effet, ces produits sont populaires parmi la clientèle adulte et font de plus en plus partie des habitudes alimentaires familiales.

Or, ces produits légers ne conviennent pas aux tout-petits. En effet, les besoins énergétiques d'un enfant en fonction de son poids sont plus élevés que ceux d'un adulte. Sa capacité digestive et son appétit étant limités, il peut arriver à satiété avant que ses besoins nutritionnels et, surtout, ses besoins énergétiques soient comblés. Il faut donc que les parents soient conscients du danger que représente la consommation fréquente d'une grande quantité de ces aliments pour leur enfant.

Trucs et conseils

✔ Afin de faciliter l'acceptation d'un nouvel aliment chez l'enfant, le lui présenter avant la tétée, lorsqu'il a faim.

✔ Comme les céréales pour bébés sont enrichies de fer et présentent une excellente valeur nutritive, les diététistes recommandent de les offrir aux enfants jusqu'à l'âge de 2 ans. Mais lorsqu'ils cessent de manger en purée, certains bambins ont tendance à les bouder. Voici quelques conseils pour vous aider à les faire accepter:

- ajouter les fruits préférés du tout-petit aux céréales;
- offrir des céréales pour bébés contenant déjà un mélange de fruits;
- varier le petit-déjeuner en alternant les céréales pour bébés avec les céréales régulières (chaudes ou froides);

- ajouter un peu de céréales pour bébés aux céréales favorites de l'enfant ;
- les incorporer à du yogourt ou encore aux préparations de muffins, de pain ou de crêpes.

✔ On peut allaiter un enfant au delà de 2 ans. Toutefois, si vous arrêtez d'allaiter avant que votre bébé ait 1 an, offrez-lui une préparation lactée commerciale pour nourrissons enrichie de fer. Le lait entier homogénéisé (3,25 %) n'est recommandé qu'après 1 an. Le lait partiellement écrémé (2 % ou 1 %) et le lait écrémé ne doivent pas être offerts avant l'âge de 2 ans parce qu'ils contiennent trop peu d'acides gras, des nutriments essentiels à la croissance et au développement du cerveau.

✔ Servir de petites portions afin de respecter l'appétit de l'enfant. Une assiette trop garnie découragera à la fois l'enfant, qui ne pourra tout ingérer, et les parents, qui croiront que l'enfant n'a pas assez mangé.

On ne peut déterminer à l'avance la quantité d'aliments solides à donner à chacun des repas. Laissez-vous guider par votre enfant ; lui seul connaît son appétit. L'appétit du tout-petit fluctue en fonction de ses poussées de croissance et de ses activités physiques. Si sa consommation de lait diminue trop rapidement, il faut réduire la quantité de solides à lui donner.

CHAPITRE 6

LE VÉGÉTARISME CHEZ LE NOURRISSON

Plusieurs facteurs règlent les habitudes alimentaires des gens. Certains font des choix en fonction de principes religieux, économiques, écologiques ou pour des raisons de santé. Le végétarisme est un mode d'alimentation bien particulier. En résumé, une alimentation végétarienne exclut les aliments d'origine animale et peut être plus ou moins restrictive, comme en témoignent les catégories suivantes.

Végétarien ou lacto-ovo-végétarien: Qui ne contient pas, ne consomme pas ou n'utilise pas de produits animaux, à l'exception des œufs et des produits laitiers.

Lacto-végétarien: Qui ne contient pas, ne consomme pas ou n'utilise pas de produits animaux, à l'exception des produits laitiers.

Ovo-végétarien: Qui ne contient pas, ne consomme pas ou n'utilise pas de produits animaux, à l'exception des œufs.

Végétalien ou végan: Qui ne contient, ne consomme ou n'utilise aucun produit de source animale. Ce type de végétarisme va jusqu'à exclure le miel.

Une alimentation végétarienne peut être adaptée à l'enfant. Par contre, elle doit être bien équilibrée et variée pour permettre un bon développement et une croissance normale. Il faut toutefois porter une attention particulière à certains nutriments davantage susceptibles d'être déficients. Vous trouverez donc dans ce chapitre des recommandations alimentaires selon l'âge de votre enfant pour sa première année de vie.

Le nourrisson de la naissance à 6 mois

Comme chez l'enfant non végétarien, le lait constitue le principal aliment du bébé jusqu'à son premier anniversaire. L'allaitement maternel est le premier choix à offrir pour tous les avantages qu'il procure à l'enfant et à la mère. Toutefois, si la maman décide de ne pas allaiter, il existe des préparations lactées adaptées aux besoins des nourrissons.

Le nourrisson allaité

Il est recommandé d'allaiter le bébé à sa demande jusqu'à l'âge de 1 an ou plus. L'alimentation de la mère doit être équilibrée, variée et lui fournir suffisamment d'aliments riches en vitamine B_{12} ou inclure un supplément vitaminique afin de rencontrer ses besoins nutritionnels. Si tel n'est pas le cas, un supplément de vitamine B_{12} devra être donné au nourrisson dès la naissance. Il devra recevoir un supplément de vitamine D. Il peut être nécessaire de lui donner un supplément de fer. Votre médecin ou votre diététiste sont les mieux placés pour vous conseiller à ce sujet.

Le nourrisson végétarien non allaité

Les parents végétariens devraient choisir une préparation lactée pour nourissons régulière ou de soja, qui lui sera donnée jusqu'à l'âge de 1 an.

Le nourrisson végétalien non allaité

L'enfant végétalien a avantage à recevoir une préparation lactée pour nourrissons à base de soja jusqu'à l'âge de 2 ans.

Étant donné que ces formules sont complètes, il n'est pas nécessaire de lui donner des suppléments vitaminiques. Contrairement aux préparations commerciales régulières, ces formules de lait sont toutes enrichies de fer et rencontrent donc les besoins des nourrissons. Par ailleurs, il est fortement déconseillé aux parents de préparer eux-mêmes leur lait ou d'utiliser des boissons de soja régulières, puisqu'elles ne sont pas adaptées aux besoins spécifiques des nourrissons. Elles sont notamment insuffisantes en acides gras essentiels, si importants pour le développement du cerveau de l'enfant. Cependant, si vous désirez tout de même préparer votre propre lait, consultez une diététiste qui pourra bien vous conseiller.

Le nourrisson de 6 à 12 mois

Vers l'âge de 6 mois, il est recommandé d'introduire graduellement les aliments solides en commençant par les céréales enrichies de fer pour bébés. On offre en premier lieu les céréales de riz, puis d'orge et enfin d'avoine. Il est important de respecter les mêmes principes d'introduction que pour les enfants non végétariens (voir chapitre 5, p. 73). Vous savez probablement que les purées d'aliments maison sont idéales pour votre enfant. Par contre, s'il vous est impossible de les préparer vous-même, les purées commerciales, sans ajout de sucre ou d'amidon, peuvent les remplacer.

Le lait est le principal aliment du bébé jusqu'à 1 an. Les légumes, les fruits et les légumineuses viennent compléter l'alimentation du nourrisson. Ils sont introduits de la même façon pour tous les enfants. Dans le cas des enfants végétaliens, il est essentiel de remplacer les viandes, les volailles et les œufs par les légumineuses afin d'assurer un apport suffisant en protéines. Les purées de légumineuses seront incorporées dans l'ordre suivant : tofu, lentilles rouges, fèves de soja, haricots mungo et fèves des marais (fava). En outre, il est préférable de retarder l'introduction des beurres de noix après un 1 afin de limiter les risques d'allergie. De plus, le miel ne devrait pas être donné aux enfants de moins de 1 an en raison des bactéries qu'il peut contenir.

Conseils de préparation culinaire

- Les purées doivent être préparées sans ajout de sel, d'épices ou de sucre.
- Tous les aliments doivent être lavés et bien cuits avant de les réduire en purée.
- Les fruits et les légumes doivent être pelés et épépinés.
- Les légumineuses doivent être bien cuites avant la réduction en purée, sans utiliser l'eau de cuisson.
- Les purées peuvent se conserver 2 jours au réfrigérateur ou être congelées en petites portions. Les purées de fruits et de légumes se gardent 6 mois au congélateur, tandis que les légumineuses et le tofu congelés se conservent 2 mois.

En conclusion, une alimentation bien équilibrée assurera au nourrisson végétarien ou végétalien une croissance normale. Par contre, il est toujours rassurant de valider le régime alimentaire de son enfant auprès d'une diététiste reconnue. Pourquoi ne pas mettre toutes les chances du côté de son bébé tant aimé ?

Les tableaux suivants sont des guides pour vous aider à élaborer les menus de votre bébé. Notez que l'introduction des solides selon l'âge peut varier d'un enfant à l'autre.

Guide d'élaboration des menus du nourrisson végétarien selon l'âge

Groupes alimentaires	0-6 mois	6-9 mois	9-12 mois
Lait et produits laitiers	Lait maternel, préparation lactée pour nourrissons régulière ou de soja	Lait maternel, préparation lactée pour nourrissons régulière ou de soja	Lait maternel, préparation lactée pour nourrisson régulière ou de soja, yogourt, fromage
Pains et céréales	Vers l'âge de 6 mois, introduire les céréales (voir chap. 5)	Céréales pour bébés, pain	Céréales pour bébés, pain, pâtes alimentaires, riz
Légumes	–	Commencer l'introduction (voir chap. 5)	Légumes bien cuits en morceaux
Fruits	–	Commencer l'introduction (voir chap. 5)	Fruits mous ou bien cuits en morceaux
Légumineuses et substituts	–	Commencer à introduire dans cette ordre : tofu, lentilles rouges, fèves de soja, haricots mungo, fèves des marais (fava), jaune d'œuf, etc.	Tofu, lentilles rouges, fèves de soja, haricots mungo, fèves des marais (fava), jaune d'œuf, tempeh…

GUIDE D'ÉLABORATION DES MENUS DU NOURRISSON VÉGÉTALIEN SELON L'ÂGE

Groupes alimentaires	0-6 mois	6-9 mois	9-12 mois
Lait et produits laitiers	Lait maternel ou préparation lactée pour nourrissons à base de soja	Lait maternel ou préparation lactée pour nourrissons à base de soja	Lait maternel ou préparation lactée pour nourrissons à base de soja, yogourt à base de soja ou riz, fromage à base de soja ou riz
Pains et céréales	Vers l'âge de 6 mois, introduire les céréales (voir chap. 5)	Céréales pour bébés, pain	Céréales pour bébés, pain, pâtes alimentaires, riz
Légumes	–	Commencer l'introduction (voir chap. 5)	Légumes bien cuits en morceaux
Fruits	–	Commencer l'introduction (voir chap. 5)	Fruits mous ou bien cuits en morceaux
Légumineuses et substituts	–	Commencer à introduire dans cette ordre : tofu, lentilles rouges, fèves de soja, haricots mungo, fèves des marais (fava),	Tofu, lentilles rouges, fèves de soja, haricots mungo, fèves des marais (fava), tempeh…

Chapitre 7

Les allergies alimentaires

▼

Des réactions indésirables

L'allergie se manifeste par une réaction exagérée ou anormale du système immunitaire d'un individu.

Plus précisément, l'allergie à un aliment est une réaction d'hypersensibilité à une protéine présente dans cet aliment, après y avoir été exposé une première fois sans problème. En effet, lors d'un premier contact avec l'allergène via l'intestin, le système immunitaire produit des anticorps appelés IgE; à ce stade de sensibilisation, aucune réaction n'apparaît. C'est lors d'une exposition subséquente, la seconde ou même la troisième, qu'une réaction indésirable se produit. Elle se reproduira d'ailleurs chaque fois que l'aliment allergène sera ingéré.

Certaines réactions allergiques sont immédiates et se manifestent moins de deux heures après l'ingestion d'un aliment, tandis que d'autres sont plus tardives et apparaissent 48 heures ou plus après l'ingestion. Les mécanismes d'action entraînant une réaction sont parfois complexes et peuvent toucher un seul ou plusieurs organes cibles: la peau, les intestins ou les poumons. Quoiqu'il en soit, le seul moyen d'éliminer une réaction allergique est d'éviter l'aliment responsable de cette réaction.

Allergie ou intolérance ?

Allergie au lait de vache

L'allergie est une réaction anormale du système immunitaire aux protéines du lait. Elle apparaît dès le plus jeune âge, généralement chez le nourrisson.

Intolérance au lactose

L'intolérance est une incapacité à digérer complètement le lactose (le sucre du lait) en raison d'un manque d'enzyme lactase dans le système digestif. Elle se manifeste généralement après l'âge de 2 ans.

L'incidence des allergies

Les allergies alimentaires sont à la hausse, principalement dans les pays industrialisés. Leur incidence a même doublé dans les dernières décennies. On peut dire qu'elles sont présentes chez 5 à 10 % des nourrissons et des enfants âgés de moins de 3 ans.

L'hérédité compte pour beaucoup parmi les facteurs de risque. Toutefois, s'il semble y avoir plus d'enfants allergiques aujourd'hui, c'est parce qu'on reconnaît le problème plus rapidement et efficacement qu'auparavant. D'autres facteurs, tels les facteurs environnementaux, font l'objet de questionnement. Quelles sont les différences dans notre façon de vivre en comparaison d'il y a 50 ans ?

Certaines observations nous amènent à réfléchir. Entre autres, nos familles comptent moins d'enfants qu'avant. Les femmes sont plus scolarisées et font des enfants à un âge plus tardif. Par conséquent, les familles sont moins nombreuses et les standards d'hygiène sont plus élevés.

En effet, selon certains chercheurs, l'excès hygiène pourrait nuire au système immunitaire. Cette hypothèse est basée sur la théorie suivante. Notre système immunitaire est composé, entre autres, de cellules Th_1 et Th_2. Normalement les Th_1 maintiennent le niveau de Th_2 bas.

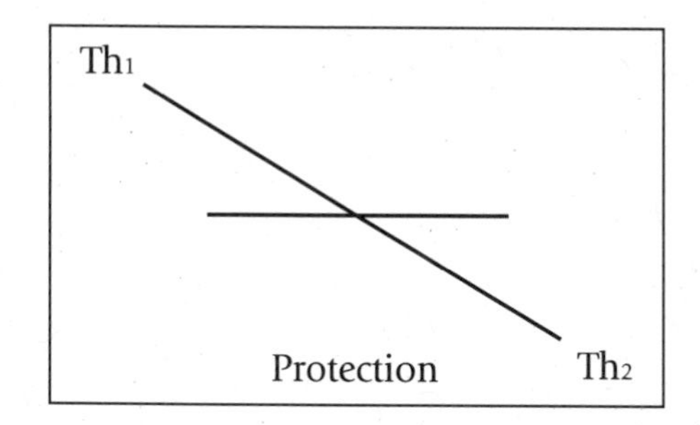

Les cellules Th_1 produisent des protéines appelées cytokines. Si ces protéines ne sont pas assez stimulées par les infections virales et bactériennes, il s'ensuit un déséquilibre en faveur d'une hausse de cellules Th_2. Or, celles-ci sont responsables d'une augmentation d'anticorps IgE, d'où la possibilité de réaction allergique.

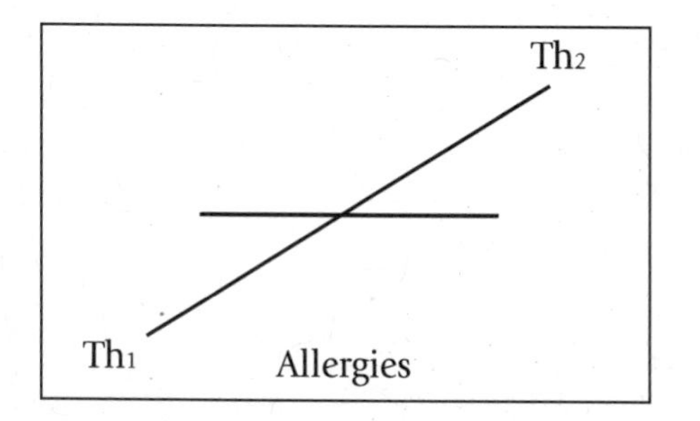

Ainsi, l'environnement aseptisé des nouveau-nés les protège d'une part, mais pourrait d'autre part les prédisposer aux allergies.

Le jeune enfant est plus susceptible de développer des allergies alimentaires que l'adulte. En effet, son système digestif encore immature est plus perméable et absorbe ainsi des antigènes alimentaires (de grosses protéines) plus facilement.

Les premiers antigènes présents dans l'intestin du nouveau-né sont généralement ceux du lait de vache composant les préparations commerciales pour nourrissons ou provenant du lait que la mère consomme durant l'allaitement.

La prématurité ainsi que les infections du système digestif (la gastro-entérite, par exemple) augmentent davantage le risque de sensibilisation alimentaire.

L'enfant atteint de troubles digestifs tels que le reflux gastro-œsophagien (RGO) ou la colite[1] voit donc ses risques accrus.

Les symptômes

Les symptômes reliés aux allergies alimentaires sont nombreux. Ils peuvent être surtout d'ordre cutané (dermite atopique ou urticaire, par exemple) et digestif (reflux, diarrhée, constipation, vomissements, œsophagite, gastrite, colite, etc.). Par exemple, chez les jeunes bébés souffrant de colite causée par le lait de vache ou de soja, on observe généralement une diarrhée accompagnée de sang ou de mucus dans les selles. Les symptômes peuvent aussi affecter d'autres systèmes et causer, par exemple, des troubles d'alimentation et de sommeil qui, à leur tour, entraîneront un retard de croissance. Les manifestations respiratoires (rhinite ou asthme) associées aux allergies alimentaires sont moins fréquentes chez les tout-petits.

1. La colite est une inflammation du côlon, à ne pas confondre avec les coliques ou pleurs excessifs.

Le diagnostic

Malheureusement, il n'existe aucune épreuve de laboratoire capable à elle seule d'établir un diagnostic précis d'allergie alimentaire. Le diagnostic repose à la fois sur l'histoire de l'enfant (l'observation des parents combinée aux symptômes cliniques), l'élimination de l'aliment possiblement allergène et, par la suite, sur le test de provocation (*Challenge*).

Un test cutané (*Prick test*) pourra être effectué après l'âge de 1 an (parce que moins fiable avant cet âge). Un test sanguin (R.A.S.T.), permettant de doser les anticorps sériques IgE spécifiques, peut également confirmer ou compléter le diagnostic. Les tests cutanés sont plus spécifiques que les tests sanguins pour confirmer les allergies alimentaires, mais ils ne sont pas infaillibles (faux positifs possibles).

Dès qu'on identifie l'aliment allergène, il faut s'assurer que l'enfant ne soit pas en contact avec cet aliment, ni avec ses dérivés et traces présents dans les produits commerciaux.

La maman qui allaite doit aussi s'abstenir de consommer l'allergène en question durant l'allaitement et le remplacer par un aliment équivalent en valeur nutritive.

Les aliments les plus souvent incriminés

Chez l'enfant, 90 % des allergies sont causées, par ordre d'importance, par **le lait de vache, les œufs, le soja, l'arachide, le blé et les autres céréales, les poissons et les crustacés**.

Le lait maternel demeure le premier choix d'alimentation du nourrisson pour ses grandes qualités :

- Il contient les anticorps (IgA sécrétoires) qui stimulent la production des facteurs immunitaires.
- Il fournit une défense importante contre les micro-organismes qui pénètrent dans le système via la muqueuse intestinale très perméable.

- Il contient les facteurs qui stimuleraient le développement des cellules de la muqueuse intestinale.

Toutefois, on sait que les allergènes ingérés par la mère durant la période d'allaitement sont transmis dans le lait maternel et peuvent sensibiliser l'enfant à risque ou irriter celui qui est déjà allergique. Il faut donc en tenir compte. Il peut être nécessaire de consulter une diététiste pour s'assurer que la diète est équilibrée et complète.

Traitement et prévention de l'allergie au lait de vache

- Chez le bébé nourri au biberon, on changera la préparation lactée régulière pour une formule hypoallergénique à base de protéines entièrement hydrolysées (fractionnées en petites particules) ou d'acides aminés, durant la première année.
- Chez le nourrisson allaité au sein, le traitement est plus compliqué car la mère doit éliminer l'allergène de sa propre alimentation, en l'occurrence le lait et les produits laitiers la plupart du temps. Elle devra aussi s'abstenir de consommer des aliments commerciaux pouvant contenir des traces de lait.

La mère qui allaite doit s'assurer de prendre une bonne source de calcium (boisson de riz fortifiée ou jus d'orange enrichi de calcium, par exemple) et de vitamine D pour compenser et maintenir de bonnes réserves.

Il est préférable de ne pas exposer le nourrisson qui est allergique au lait de vache à la protéine de soja dans sa première année de vie. Il n'est donc pas recommandé à sa mère de boire des boissons de soja durant la première année d'allaitement. On conseille aussi d'éviter les sources concentrées de protéines allergènes, soit les œufs, les arachides, les noix et parfois les poissons et fruits de mer.

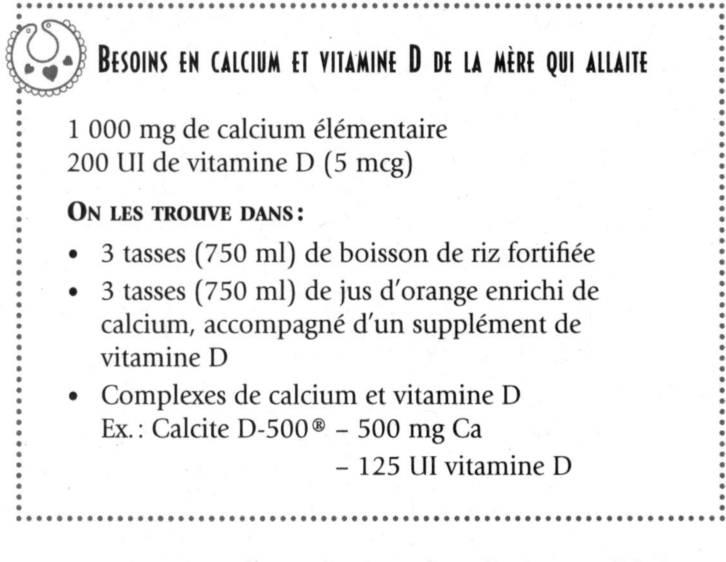

Besoins en calcium et vitamine D de la mère qui allaite

1 000 mg de calcium élémentaire
200 UI de vitamine D (5 mcg)

On les trouve dans :

- 3 tasses (750 ml) de boisson de riz fortifiée
- 3 tasses (750 ml) de jus d'orange enrichi de calcium, accompagné d'un supplément de vitamine D
- Complexes de calcium et vitamine D
  Ex. : Calcite D-500® – 500 mg Ca
  – 125 UI vitamine D

En prévention, l'introduction des aliments solides sera retardée après l'âge de 6 mois. Il faut prendre soin d'offrir d'abord les céréales simples (riz, orge), puis poursuivre avec les céréales composées (sans lait ni préparation lactée intégrée).

Par la suite, les légumes (patate sucrée, courge, carotte, haricot jaune) et les fruits (pêche, poire, banane, pomme) ainsi que les viandes et les volailles seront introduits un à un, en respectant un intervalle de 3 à 5 jours entre chaque nouvel aliment.

Vers l'âge de 9 mois, on pourra commencer à offrir au bébé les produits à base de farine de blé (pains, pâtes alimentaires, semoules, etc.).

Durant les premières années de sa vie, on évitera de donner à l'enfant de type allergique des œufs, du poisson, des crustacés, des légumineuses, des kiwis, du beurre d'arachide et des noisettes. Ainsi, on lui donne toutes les chances d'éviter ou de retarder l'apparition d'allergies alimentaires

Prévention chez les enfants à risque

Retarder l'introduction des aliments suivants :

- Œufs (jaune et blanc) après 18 mois
- Légumineuses (pois secs) après 18 mois
- Thon et saumon en conserve après 24 mois
- Autres poissons après 3 ans
- Fruits de mer (crustacés), arachides, noix, kiwis et sésame après 3 à 5 ans

CHAPITRE 8

DES PROBLÈMES FRÉQUENTS

▼

Prévenir l'asphyxie alimentaire

L'asphyxie ou l'étouffement alimentaire constitue la première cause de décès par accident chez les enfants de moins de 1 an et la quatrième cause de mort accidentelle en bas de 5 ans.

Les enfants vont souvent explorer le monde qui les entoure en mettant des objets dans leur bouche. Il leur arrive parfois d'en avaler ou d'en aspirer un. Les conséquences peuvent être très graves.

Les aliments font naturellement partie des objets les plus incriminés. Chez les jeunes enfants, le diamètre de l'œsophage, soit le tube qui conduit les aliments de la gorge à l'estomac, est petit. Certains aliments sont de la même grosseur que l'œsophage. Ils peuvent se coincer dans la gorge, bloquer les voies respiratoires et provoquer l'étouffement. Par ailleurs, les bébés n'ont pas de dents et les jeunes enfants n'ont pas les incisives et les molaires qui permettent de mâcher ou de broyer adéquatement les aliments.

Les aliments suivants présentent des risques d'étouffement[1] :

- les aliments petits, durs et ronds tels que les bonbons durs ;
- les saucisses en rondelles ;
- certains fruits comme les raisins frais ou secs, les quartiers de pomme, etc.
- les crudités de légumes (carotte, céleri, etc.) ;
- les arachides, le beurre d'arachide croquant, les noix, les graines ;
- le maïs soufflé et les croustilles ;
- la gomme à mâcher.

Le tout-petit doit toujours être supervisé par un adulte lors des repas et collations. Pour assurer quiétude aux parents, sécurité et plaisir à l'enfant lorsqu'il mange, voici quelques règles simples à suivre :

- Couper les aliments en petits morceaux :
  - **raisins** coupés en deux ou en quatre sans pépins ;
  - **saucisses** coupées dans le sens de la longueur, en plusieurs petits morceaux.
- Retirer les **petits os** de la viande ou de la volaille.
- Retirer les **pelures**, les **noyaux** et les pépins des fruits.
- Tartiner le beurre d'arachide crémeux[2] en petite quantité (en couche mince) sur une rôtie chaude.
- Râper ou trancher en fines languettes les **légumes crus**. Les cuire quelques minutes pour les ramollir.

1. Jusqu'à l'âge de 4 ans, il est préférable d'éviter tous ces aliments qui présentent des risques d'étouffement.

2. Le beurre d'arachide crémeux et non croquant peut être introduit dans le menu du jeune enfant entre l'âge de 1 à 2 ans. S'il y a des allergies dans la famille, consulter le chapitre qui porte sur ce sujet avant d'introduire cet aliment.

- Éviter le **fromage gratiné**, car il peut s'étirer facilement et provoquer l'étouffement.
- Éviter de laisser des aliments dangereux à la portée des enfants, comme un bol d'arachides sur une table ou encore une arachide tombée sur le sol.

ÉVITER LES ALIMENTS À RISQUE

AVANT L'ÂGE DE 1 AN

- Éviter les biscuits de dentition et autres biscuits, les légumes crus (carotte, céleri, piment, navet) et les morceaux de pomme crue.
- Cuire les pommes, les râper ou les servir sous forme de sauce.
- Réduire les petits fruits (fraise, framboise, bleuet, mûre, gadelle [ou groseille à grappes]) en purée et les passer au tamis.
- Cuire les légumes.

À PARTIR DE L'ÂGE DE 1 AN

- Donner des morceaux de certains légumes crus s'ils sont très tendres: concombre, champignon, tomate; les autres légumes doivent être râpés ou taillés en fines lanières.
- Couper la pomme, la pêche et la poire crues en morceaux fins, sans pelure ni pépins.

Des comportements sécuritaires à adopter

Pour réduire les risques d'asphyxie chez le jeune enfant, certaines attitudes ou comportements sont souhaitables à l'heure des repas et des collations :

- Surveiller les jeunes enfants de près quand ils mangent. Ne jamais les laisser seuls.
- Ne pas bousculer les repas ; créer un climat propice au calme et à la détente. Prendre le temps de bien manger.
- Limiter les distractions durant les repas (jeu, télévision, musique, etc.).
- Insister pour que l'enfant soit assis bien droit, à la table ou dans la chaise haute, et qu'il reste tranquille durant les repas.
- Apprendre au tout-petit à mâcher lentement et à bien mastiquer.
- Ne jamais faire manger un enfant de force, surtout s'il est somnolent.
- Ne pas laisser l'enfant parler, marcher, courir ou jouer avec des aliments dans sa bouche.
- Défendre à l'enfant de manger en voiture : vous pourriez ne pas vous apercevoir qu'il s'étouffe et ne pas avoir le temps de réagir pour le secourir.
- Éduquer les enfants plus âgés à ne pas donner d'aliments à risque aux jeunes enfants.
- Ranger les aliments à risque hors de la portée des jeunes enfants.
- Les médicaments appliqués sur les gencives pour soulager les maux de dents peuvent nuire à la mastication et à la déglutition en diminuant la sensibilité de la bouche.

À bien y penser, il y a si peu à faire pour assurer la sécurité alimentaire des tout-petits et la tranquillité d'esprit de maman et papa !

Les pleurs excessifs ou «coliques»

Une étape de l'adaptation de l'enfant à son nouvel environnement

Bébé pleure fort! Son visage est rouge, ses poings sont crispés et ses cuisses repliées sur son ventre dur et gonflé, son dos cambré... Il a des gaz et il est difficile à consoler. Il boit malgré tout à satiété. Il souffre probablement de «coliques» ou plus précisément de pleurs excessifs.

Près de la moitié des bébés en souffrent, certains plus que d'autres. Les bébés allaités tout comme les bébés qui reçoivent une préparation lactée commerciale sont tout aussi susceptibles de souffrir de «coliques».

Le terme «colique» est souvent employé pour désigner l'état d'un nourrisson qui pleure régulièrement et si longtemps que ses cris bouleversent les adultes. La cause exacte des pleurs excessifs reste à élucider. Il n'existe aucune preuve concrète que la douleur est causée par des gaz ou une intolérance alimentaire. Les nourrissons qui pleurent beaucoup avalent de l'air qu'ils expulsent sous forme de rots ou de régurgitations. L'effort et le resserrement des muscles de l'estomac entraînent également l'expulsion de gaz par le rectum.

Les «coliques» sont liées à la sensibilité nerveuse ou digestive de l'enfant. Elles apparaissent vers l'âge de 2 à 3 semaines pour habituellement disparaître vers le 3e ou le 4e mois. La période la plus pénible se situe autour de la 6e semaine. Le bébé peut pleurer pendant de longues heures consécutives, surtout en fin de journée. Il faut prendre le temps de le consoler. Dans ces moments-là, il faut aussi vous assurer qu'il n'a ni faim ni froid ou chaud et qu'il n'a pas besoin d'un changement de couche.

Les causes possibles

L'étiologie des « coliques » demeure inconnue, mais certains facteurs pourraient être en cause :

- mauvaise évacuation de l'air qui pénètre dans l'estomac du bébé pendant les pleurs ou la tétée ; une fois passé dans l'intestin, l'air provoque des contractions inconfortables ;
- sensation de faim ;
- mauvais positionnement du nourrisson après le boire ;
- besoin de plus d'attention ;
- bébé plus sensible à son environnement ;
- tempérament difficile ;
- angoisse de l'arrivée de la nuit (n'a pas encore trouvé son rythme du sommeil) ;
- immaturité transitoire, car les « coliques » disparaissent souvent après l'âge de 3 ou 4 mois.

D'autres facteurs sont parfois cités comme des causes possibles de pleurs excessifs, mais les avis demeurent partagés. En effet, plusieurs ouvrages scientifiques se contredisent :

- problèmes gastro-intestinaux pouvant inclure : reflux gastro-œsophagien, suralimentation, sous-alimentation, intolérance ou allergie aux protéines bovines, introduction précoce des aliments solides ;
- mauvaise digestion du lait ;
- utilisation du tabac pendant la grossesse ;
- anxiété, stress des parents, etc.

Pour soulager bébé

Pour calmer votre enfant, vous pouvez lui offrir un peu d'eau tiède, préalablement bouillie : 15 ml (1 c. à table) dans un biberon ou au compte-gouttes. Parfois, si vous allaitez, donner le sein peut aussi bien consoler que nourrir. Toutefois, il faut éviter de nourrir trop souvent le nourrisson. Plusieurs bébés aiment sucer leur poing, la suce ou le sein. Leur parler doucement à l'oreille, les bercer, les prendre contre votre ventre chaud, leur donner un bain, sont autant de moyens qui peuvent aider à diminuer les « coliques » ou l'inconfort qui leur est relié.

Si la fatigue ou l'exaspération s'empare de vous parce que votre nourrisson est inconsolable, il est préférable de demander à un proche (gardienne, grands-parents, amie…) de vous relayer.

Quelques aspects techniques à vérifier

La révision des techniques pour les boires pourra peut-être aider à réduire les « coliques » du bébé, qu'il soit nourri au sein ou au biberon.

- Le réflexe d'éjection du lait chez certaines mères est tellement puissant que le nourrisson peut s'étouffer, arrêter de boire et pleurer, ce qui pourrait entraîner des « coliques ». Si c'est votre cas, il suffit de retirer momentanément votre bébé du sein, d'attendre quelques instants et de reprendre l'allaitement par la suite.
- Bien faire faire les rots après chaque boire, jour et nuit, peut éviter certains désagréments.
- Les pleurs excessifs résultent occasionnellement d'une intolérance aux protéines bovines contenues dans le lait maternel ou dans les préparations lactées pour nourrissons. Lorsque le bébé pleure beaucoup, il peut être nécessaire d'éliminer les protéines bovines de son alimentation pendant quelques jours. Un lait à base d'hydrolysat[3] de

3. Les études bien contrôlées avec les formules à base d'hydrolysat de protéine de soja sont non concluantes. Il n'y a pas non plus de preuves que le retrait des protéines bovines du régime de la mère qui allaite soit utile.

caséine pourrait être utilisé comme substitut. Une préparation à base de protéines de soja n'est cependant pas recommandée, car le nourrisson peut être intolérant ou allergique à ce type de protéines.

- Allaiter à la demande pour éviter que le nourrisson n'ait trop faim.

Dans une minorité de cas, les protéines bovines sont en cause et les pleurs excessifs diminuent et disparaissent de façon étonnante. Il faut alors poursuivre la diète d'exclusion pendant quelques mois, en maintenant une alimentation tout aussi nourrissante malgré la diminution ou l'élimination temporaire d'aliments «allergènes». N'hésitez pas à demander conseil à une diététiste.

Si les «coliques» n'ont pas diminué après cette période d'exclusion des protéines bovines, on peut reprendre une alimentation normale.

L'enfant nourri au sein peut également vivre cette situation; la mère peut alors elle-même s'abstenir de consommer des produits laitiers pendant quelques jours.

La constipation

La constipation se reconnaît à la difficulté d'évacuer des selles dures et sèches ou des selles normales s'accompagnant parfois de douleur. Il peut s'agir de petites selles en boules ou, au contraire, de selles très volumineuses.

La constipation est définie par la quantité d'eau contenue dans les selles et non pas leur fréquence. Les habitudes de défécation varient d'un enfant à l'autre. Il ne faut pas s'inquiéter si un bébé allaité ne fait qu'une selle à tous les 2 ou 3 jours. La fréquence des selles chez le bébé allaité est fort variable (de 8 à 10 par jour dans les premières semaines à une seule par jour dans le deuxième mois). Chez les bébés nourris avec des préparations lactées, la fréquence des selles peut varier de 5 à 6 par jour à une par 2 jours.

La fissure anale est une complication fréquente chez le nourrisson et le jeune enfant. Elle se manifeste par la présence de rectorragie plus ou moins importante, soit du sang présent dans les selles. La constipation est douloureuse surtout lorsqu'elle est associée à une fissure. L'enfant plus vieux affecté d'une fissure anale peut être porté à se retenir pour ne pas déféquer.

Généralement, si votre enfant grossit bien, s'il n'a pas de douleurs abdominales ni de distension ou gonflement de son ventre, la constipation ne devrait pas vous inquiéter.

Les causes de la constipation

- Changement de diète : le passage du lait maternel ou de la préparation lactée pour nourrissons au lait de vache, l'introduction des solides ou l'ajout d'un nouvel aliment dans la diète.
- Consommation trop importante de lait (plus d'un litre [32 on] par jour) : en buvant trop de lait ou en consommant trop de produits laitiers, l'enfant ne sentira pas la faim. Il mangera alors de plus petites portions et aura peu d'appétit pour une variété d'aliments fournissant des fibres.
- Manque de fibres dans l'alimentation : une consommation insuffisante d'aliments solides ou fibreux, tels les céréales, les légumes et les fruits.
- Manque de liquides.

Les sources de fibres alimentaires

Les fibres alimentaires sont un constituant de la structure des végétaux. Elles sont aux aliments d'origine végétale ce que le squelette est à l'homme. Les fibres alimentaires se trouvent donc seulement dans les aliments d'origine végétale et non dans ceux d'origine animale.

Il existe deux groupes de fibres alimentaires: les fibres insolubles et les fibres solubles.

Fibres insolubles

Les fibres insolubles sont comparables à une éponge. Elles absorbent l'eau qui se trouve à l'intérieur de l'intestin, augmentant ainsi le volume des résidus. Les résidus étant plus mous et plus gros, ils exercent une pression accrue sur l'intestin et favorisent ainsi le mouvement d'évacuation.

Les meilleures sources de fibres insolubles sont le son de blé et les céréales de son de blé, les aliments à grains entiers (pains, pâtes, etc.), les fruits et les légumes.

Fibres solubles

Les fibres solubles sont métabolisées surtout dans le côlon (gros intestin) par l'action enzymatique des bactéries. Elles augmentent aussi le volume aqueux du résidu intestinal par la dégradation qu'exercent les bactéries.

Les meilleures sources de fibres solubles sont: le son, la farine, les flocons d'avoine et d'orge, les légumineuses (lentilles, haricots et pois secs), les fruits riches en pectine (pommes, fraises et agrumes).

Le traitement de la constipation

L'enfant constipé doit être traité le plus rapidement possible. Il faut porter une attention particulière à son ingestion de liquides et à son alimentation. Le bébé ou le jeune enfant doit consommer suffisamment de fibres. Il doit également boire suffisamment de liquides.

VOICI QUELQUES CONSEILS POUR VOUS AIDER À ENRAYER LA CONSTIPATION CHEZ VOTRE ENFANT :

NOURRI AU SEIN

- Le bébé allaité est rarement constipé. S'il l'est, vérifier qu'il tète bien et boit assez de lait.
- Allaiter plus souvent.

NOURRI AVEC UNE PRÉPARATION LACTÉE

- Offrir de l'eau bouillie tiède, environ 15 ml (1 c. à table) entre chaque boire du nourrisson âgé de 6 semaines et plus.
- Ajouter, en dernier recours, de 1 à 2 grammes (1/4 à 1/2 c. à thé) de sucre par 100 ml (environ 3 on) de liquide (jus, eau, lait). Si le problème persiste, augmenter d'un gramme (1/4 c. à thé) par 100 ml jusqu'à la formation de selles normales. Réduire ensuite graduellement la quantité de sucre.

BÉBÉ DE 3 MOIS ET PLUS

- Offrir du jus de pruneau, de pomme ou de poire tiède et dilué : 15 ml (1 c. à table) de jus + 15 ml d'eau bouillie (5 minutes). Attention : trop de ce jus pourrait causer des douleurs au ventre.

BÉBÉ DE 6 À 12 MOIS

- Commencer à ajouter des aliments solides au menu de l'enfant. Si les céréales sont introduites, l'ajout des légumes et des fruits stimulera l'intestin.

- Offrir des céréales de grains entiers (ex. : céréales d'avoine [grain unique], céréales pour bébés constituées d'un mélange de blé et de fruits déshydratés).
- Augmenter la consommation d'eau fraîche entre les repas.
- Offrir de la purée de pruneaux, seule ou mélangée avec d'autres fruits.
- Offrir des purées de légumineuses vers l'âge de 9 mois.
- S'il n'y a aucune amélioration, ajouter de 5 à 15 ml (1 c. à thé à 1 c. à table) de son de blé naturel aux céréales de bébé.

Le corps doit s'adapter à cette nouvelle alimentation riche en fibres. Il importe donc d'apporter ces changements de façon graduelle. Un ajout de fibres trop rapide peut causer quelques désagréments, comme des gaz, des sensations de ballonnement ou des douleurs abdominales.

Certains petits trucs peuvent aider à soulager les inconforts reliés à la constipation : faire pédaler doucement votre enfant, masser son ventre dans le sens des aiguilles d'une montre à quelques reprises dans la journée et desserrer sa couche.

MYTHE :

La banane, la carotte et le riz constipent.

RÉALITÉ :

Il n'y pas lieu de priver votre enfant de la banane, de la carotte ou de la céréale de riz. Ces aliments n'occasionnent aucun problème s'ils ne sont pas consommés en quantité excessive. Il faut favoriser une alimentation équilibrée et variée.

MYTHE :

Il ne faut pas donner trop de fer à un enfant, car il constipe.

RÉALITÉ :

Il n'a pas été prouvé scientifiquement que le fer de source alimentaire ou celui donné sous forme de supplément de même que les préparations lactées pour nourrissons enrichies de fer entraînent la constipation. Un supplément de fer peut changer la couleur des selles, mais ne cause pas la constipation.

L'importance de l'eau

Il est important de se rappeler que les fibres absorbent l'eau. En augmentant la consommation de fibres chez votre enfant, il faut donc lui faire boire plus d'eau ou d'autres liquides.

Un petit truc à retenir : offrir de l'eau pour chaque portion additionnelle d'aliment riche en fibres. N'hésitez pas à en donner au repas ou entre les repas, sans négliger le lait.

Quelques suggestions pour une alimentation riche en fibres

- Augmenter la consommation de légumes et de fruits de votre enfant.
- Proposer **au moins une fois par jour** : des légumes cuits.
- Proposer **deux fois par jour** (à partir de 12 mois) :
  - des légumes crus très tendres ou râpés, taillés en fines lanières (concombre, tomate, etc.) ;
  - des fruits frais coupés en morceaux fins, sans pelure ni pépins (pomme, poire, etc.).
- Si votre enfant a l'habitude de boire beaucoup de jus de fruits[4], le remplacer partiellement ou totalement par des fruits frais.
- Ajouter des céréales de type *All Bran* écrasées à des céréales pour bébés ou ajouter du son de blé. Il faudra s'assurer d'offrir du liquide à ce repas. L'ajout de céréales de son écrasées ou de flocons de son à des céréales pour bébé peut se faire quand le nourrisson a déjà goûté une variété de céréales. Ajouter de petites quantités à la fois : commencer par 5 ml (1 c. à thé).
- Offrir du pain de blé entier **grillé** vers l'âge de 9 à 12 mois.

Voilà autant de moyens simples et efficaces pour maximiser l'apport en fibres de vos petits.

La gastro-entérite

La gastro-entérite est l'une des maladies les plus fréquentes chez les enfants. Rares sont ceux qui n'en vivent aucun épisode.

4. Les jus de fruits ne sont pas essentiels. Contrairement aux légumes et aux fruits frais, ils ne contiennent pratiquement pas de fibres. De préférence, les jus devraient être offerts à l'enfant qui boit déjà au verre.

Les bébés allaités sont moins exposés à la gastro-entérite, car le lait maternel a un effet préventif et thérapeutique. Cependant, le risque augmente chez les enfants qui fréquentent une garderie.

L'enfant atteint de gastro-entérite souffre de diarrhée : ses selles sont plus nombreuses, moins formées et plus liquides qu'à l'habitude. Il peut aussi faire de la fièvre, perdre l'appétit et souffrir de nausées, de vomissements, de douleurs abdominales et de crampes.

Dans la majorité des cas, cette maladie est causée par un virus et ne peut donc être traitée par des antibiotiques. La diarrhée guérit habituellement en quelques heures ou en quelques jours.

Le principal danger de la gastro-entérite est la déshydratation car l'organisme perd d'importantes quantités d'eau et de sels minéraux. La déshydratation peut être très dangereuse, surtout chez les bébés et les tout-petits si elle n'est pas traitée. Les enfants de moins de 12 mois se déshydratent plus rapidement que les enfants plus âgés.

Les principaux signes de déshydratation sont :

- une diminution des urines (moins de quatre couches mouillées en 24 h) et urines plus foncées ;
- l'absence de larmes ;
- la sécheresse de la peau, de la bouche et de la langue ;
- un pli cutané persistant ; lorsque l'on pince la peau du nourrisson sur la main ou l'abdomen, le pli demeure pendant un certain temps ;
- des yeux creux ou cernés ;
- une peau grisâtre ;
- de la somnolence ;
- l'enfoncement de la fontanelle (espace mou sur la tête) du nourrisson ;

- de l'irritabilité;
- une perte de poids.

Le traitement de la gastro-entérite (diarrhée, vomissements)

Lors d'une gastro-entérite, la priorité demeure l'hydratation de votre enfant afin de remplacer les pertes de sels minéraux et d'eau subies pendant les vomissements et les diarrhées

Bébé allaité au sein : poursuivre l'allaitement sur demande. Si l'enfant prend moins de lait, lui offrir le sein plus souvent. Le lait maternel faciliterait la guérison de la diarrhée.

Bébé nourri au biberon : continuer d'offrir la préparation lactée habituelle.

Entre les boires, offrir une solution de réhydratation orale (SRO) appelée aussi « solution électrolytique ».

Plusieurs produits sont disponibles sur le marché. Ces solutions contiennent la quantité idéale d'eau, de sels minéraux et de sucre. Offrir régulièrement la SRO à la cuillère, au compte-gouttes ou au biberon, de 5 à 20 ml toutes les 2 à 10 minutes jusqu'à l'arrêt des vomissements. Par la suite, augmenter les quantités tout en diminuant la fréquence selon la tolérance de votre enfant. Si les vomissements ne s'atténuent pas après 4 à 6 heures, amener l'enfant à l'hôpital.

Il existe une recette maison de solution de réhydratation qu'il est possible de préparer en cas de besoin :

360 ml (12 on) de jus d'orange non sucré
600 ml (20 on) d'eau bouillie 5 minutes, refroidie
2,5 ml (1/2 c. à thé rase) de sel

Mesurer et mélanger bien tous les ingrédients (proportions exactes). Conserver la solution au réfrigérateur. Servir à la température de la pièce.

À noter qu'il ne faut pas utiliser cette solution pendant plus de 12 heures, car il s'agit d'une recette incomplète pouvant occasionner un déséquilibre au niveau des électrolytes.

Aliments solides: offrir l'alimentation habituelle de l'enfant selon sa tolérance. La céréale de riz ainsi que le riz cuit semblent réduire la durée et l'importance de la diarrhée.

Des informations à retenir

- Lors d'une gastro-entérite, ne pas offrir de boissons sucrées comme le Kool-Aid®, les jus de fruits (même dilués), les boissons aux fruits, les boissons gazeuses comme le 7-Up® ou le Ginger Ale® (même dégazéifiées), le Jell-O®, le thé sucré ou le bouillon. Ces produits ne contiennent pas les bonnes proportions d'eau, de sels minéraux et de sucre. Ils pourraient aggraver la diarrhée.
- Même si les solutions de réhydratation ont un goût fade, il ne faut rien ajouter pour en améliorer le goût. Ceci pourrait nuire à l'équilibre entre le sucre et le sel. Si l'enfant est déshydraté, il boira sans difficulté. S'il les refuse, c'est peut-être parce qu'il n'a pas soif ou qu'il n'est pas déshydraté.
- Consulter un médecin lorsque la situation perdure.

MYTHE :

Lors d'une gastro-entérite, il faut éliminer le lait et les autres produits laitiers, car ils sont difficiles à digérer.

RÉALITÉ :

Après une gastro-entérite sévère, certains enfants peuvent développer une intolérance au lait (lactose) temporaire. Il ne faut pas pour autant éliminer tous les produits laitiers de son alimentation, le seuil de tolérance au lactose variant d'une personne à l'autre. Habituellement, le lait peut être très bien toléré en petite quantité à la fois. Le yogourt et le fromage sont généralement bien tolérés. La tolérance au lactose s'améliore avec une consommation régulière de produits laitiers.

MYTHE :

Lors d'une gastro-entérite, il faut mettre l'estomac et l'intestin au repos.

RÉALITÉ :

Il s'agit d'un mythe non fondé. Les restrictions alimentaires sont inutiles et nuisibles. L'éternelle « diète de gastro » constituée de banane, compote de pomme et rôtie est pauvre en calories et protéines. L'enfant bien nourri se sentira mieux et récupérera plus rapidement. D'où l'importance de reprendre l'alimentation habituelle le plus tôt possible quand les symptômes s'atténuent. Favorisez les céréales, le riz, les légumes, les fruits et les viandes maigres. Il est bon de fractionner les repas en plusieurs petits repas au fil de la journée (5 à 6 repas).

La diarrhée

La diarrhée résulte d'un mauvais fonctionnement des cellules de la muqueuse intestinale. Les selles sont alors très liquides et leur fréquence est accrue. L'altération de la muqueuse nuit à la digestion normale pendant plusieurs jours.

La diarrhée est un phénomène courant chez les enfants. Habituellement bénigne et de courte durée, elle peut parfois être grave, particulièrement chez le nourrisson.

La diarrhée peut être causée par de nombreux germes. Le plus souvent, elle peut découler d'un virus (comme le *rotavirus*) contre lequel aucun antibiotique n'est efficace. Les antibiotiques peuvent s'avérer utiles dans les cas de diarrhée causés par des bactéries aux noms aussi exotiques que *Campylobacter*, *Salmonella* ou *Escherichia coli*. En général, l'enfant se porte mieux bien avant que la bactérie coupable ne soit identifiée.

Le traitement de la diarrhée

Le traitement d'une diarrhée aiguë est sensiblement le même que celui d'une gastro-entérite (reportez-vous à la p. 122). Tout comme la gastro-entérite, la diarrhée entraîne une perte importante d'eau et de sels minéraux essentiels qui doivent être remplacés afin d'éviter la déshydratation. Les mêmes solutions de réhydratation orale sont de mise.

Pour ne pas aggraver la diarrhée, il vaut mieux éviter d'offrir à votre enfant des jus de fruits, même dilués, ou tout autre liquide sucré. Certains jus, comme le jus de pruneaux ou de pommes, peuvent être laxatifs s'ils sont consommés en grande quantité. Une concentration importante de glucides (sucres) peut aggraver ou entretenir la diarrhée. Il faut faire attention à ce que vous offrez à vos tout-petits. Le lait, pour sa part, n'est pas à exclure, à moins de diarrhée sévère. Des aliments trop froids peuvent également provoquer ou accentuer la diarrhée.

En général, l'enfant atteint de diarrhée peut manger les mêmes aliments que ceux qu'il consomme déjà. Toutefois, les portions ingérées sont souvent diminuées pour quelques jours. Des petits repas fréquents sont habituellement mieux tolérés. Si l'alimentation normale est bien tolérée, il faut la maintenir. Sinon, il faut envisager de la reprendre dans les 24 heures. Vous pouvez réintroduire un aliment à la fois, en offrant de petites portions. Bien sûr, il est possible de servir des aliments bien cuits, écrasés ou moulus pour faciliter leur digestion.

Conclusion

Nous espérons que ce livre a su alimenter votre réflexion et qu'il a répondu à vos interrogations sur la nutrition de votre bébé.

Notre plus grand défi consistait à produire un ouvrage qui, tout en étant de facture simple, pouvait rendre compte des importants changements qui se sont produits au cours des dernières années dans un domaine où, malheureusement, foisonnent les mythes et où tout le monde s'improvise connaisseur, éducateur, prophète...

Nous avons également tenté de préserver un équilibre entre les connaissances scientifiques et notre pratique quotidienne. Nous estimons, en effet, que bien nourrir son enfant, ce n'est pas sorcier; mais il faut se faire confiance, suivre son instinct, être attentif aux besoins et aux tolérances individuelles.

N'oubliez pas que votre bébé est UNIQUE et qu'il ne faut surtout pas le comparer avec son petit cousin ou avec le petit voisin.

ANNEXE 1

LAITS DISPONIBLES EN FRANCE [1]

Laits pour nourrissons sans problèmes

Enfalac		Materna	1er et 2e âge
Enfamil		Milumel	1er et 2e âge
Galliasec	1er et 2e âge	Modilac	1er et 2e âge
Galliazyme	1er et 2e âge	Nidal	1er et 2e âge
Guigoz	1er et 2e âge	Nutricia	1er et 2e âge
Lémiel	1er et 2e âge	SMA	1er et 2e âge

Laits spéciaux sans lactose

Prosobee – Al 110 – Diargal

Laits spéciaux sans protéines bovines ni de soja

Nutramigen – Pregestimil – Alfaré – Pepti Junior – Galliagène TCM

1. Liste non exhaustive.

ANNEXE 2

ÉQUIVALENCES

Système métrique	*Système impérial*
5 ml	1 c. à thé
15 ml	1 c. à table (1/2 once)
30 ml	2 c. à table (1 once)
125 ml	1/2 tasse (4 onces)
150 ml	2/3 tasse (5 onces)
175 ml	3/4 tasse (6 onces)
250 ml	3/4 tasse (8 onces)

Bibliograhie

Allaitement maternel au Québec: lignes directrices. Québec: Ministère de la santé et des services sociaux, 2001. 71 p.

Allaitement maternel et alimentation de l'enfant de 0 à 1 an: manuel d'information à l'intention des professionnels de la santé et des autres intervenants concernés. Montréal: Éditions Agence d'Arc, 1991. 451 p.

American Dietetic Association and Dietetians of Canada. « Position of the American Dietetic Association and Dietetians Canada: Vegetarian diets». *Journal of the American Dietetic Association* 2003: 103(6): 748-765.

Behrman, R.E., R.M. Kliegman et H.B. Jenson. *Nelson Textbook of Pediatrics.* 17e éd. Philadelphia: W.B. Saunders, 2004. 2618 p.

Dubost, M. et W.L. Scheider. *La nutrition.* 2e éd. Montréal: Chenelière/McGraw-Hill: 2000. 305 p.

Institut national de santé publique du Québec. *Mieux vivre avec notre enfant – de la naissance à deux ans: guide pratique pour les mères et les pères, 2003-2004.* Québec: Publications du Québec, 2003. 472 p.

La nutrition du nourrisson né à terme et en santé : énoncé du Groupe de travail de la Société canadienne de pédiatrie, des Diététistes du Canada et de Santé Canada. Ottawa: Santé Canada, 1998. 55 p.

Lawrence, R. A. *Breastfeeding: a guide for the medical profession.* 4e éd. St-Louis: Mosby-Year Book, 1994. 878 p.

MOHRBACHER, N. et J. STOCK. *Traité de l'allaitement maternel.* Charlemagne (Québec) : Ligue La Leche, 1999. 660 p.

ORDRE PROFESSIONNEL DES DIÉTÉTISTES DU QUÉBEC. *Manuel de nutrition clinique.* 3e éd., Montréal : OPDQ, 2000.

RONA, A., R. BOEME et B. CUPPS. *Normal Development of Functional Motor Skills : The first year of life.* Tucson (AZ) : Therapy Skills Builders, 1993. 243 p.

WEBER, M. L. *Dictionnaire de thérapeutique pédiatrique.* Montréal : Presses de l'Université de Montréal, 1994. 1258 p.

RESSOURCES

Livres

BETTEZ, Marie-Josée et Éric THÉROUX. *Déjouer les allergies alimentaires : recettes et trouvailles.* Montréal : Québec Amérique, 2002. 331 p.

BRETON, Marie et Isabelle EMOND. *À table, les enfants ! : recettes et stratégies pour bien nourrir son enfant de 9 mois à 5 ans*. Montréal : Flammarion, 2002. 126 p.

CARRIÈRE, Martine et Marie-Chantal VALIQUETTE. *De l'allergie aux plaisirs de la table : recettes et conseils.* Montréal : Association québécoise des allergies alimentaires / Flammarion Québec, 2003. 191 p.

COMITÉ POUR LA PROMOTION DE L'ALLAITEMENT MATERNEL DE L'HÔPITAL SAINTE-JUSTINE. *L'allaitement maternel.* Montréal : Éditions de l'Hôpital Sainte-Justine, 2002. 104 p. (Collection de l'Hôpital Sainte-Justine pour les parents)

ÉQUIPE DE PÉRINATALITÉ DE L'HÔPITAL SAINTE-JUSTINE. *Au fil des jours… après l'accouchement.* Montréal : Éditions de l'Hôpital Sainte-Justine, 2001. 96 p. (Collection de l'Hôpital Sainte-Justine pour les parents)

LAMBERT-LAGACÉ, Louise. *Comment nourrir son enfant : du lait maternel au repas complet.* Montréal : Éditions de l'Homme, 1999. 295 p.

LAURENDEAU, Hélène et Brigitte COUTU. *L'alimentation durant la grossesse*. Montréal : Éditions de l'Homme, 1999. 283 p.

Sites Internet

Diététistes du Canada
www.dietitians.ca

Extenso – Centre de référence sur la nutrition humaine
www.extenso.org

Institut national de la nutrition
www.nin.ca/public_html/Fr/home.html

Ligue La Leche
www.lalecheleague.org

Ordre professionnel des diététistes du Québec
www.opdq.org

Santé Canada
www.hc-sc.gc.ca/francais

Santé Canada. Le guide alimentaire canadien
www.hc-sc.gc.ca/hpfb-dgpsa/onpp-bppn/food_guide_rainbow_f.html

Liste des tableaux

La Collection de l'Hôpital Sainte-Justine
pour les parents

L'allaitement maternel

Comité pour la promotion de l'allaitement maternel de l'Hôpital Sainte-Justine

Le lait maternel est le meilleur aliment pour le bébé. Tous les conseils pratiques pour faire de l'allaitement une expérience réussie! (2e édition).

ISBN 2-922770-57-5 2002/104 p.

Apprivoiser l'hyperactivité et le déficit de l'attention

Colette Sauvé

Une gamme de moyens d'action dynamiques pour aider l'enfant hyperactif à s'épanouir dans sa famille et à l'école.

ISBN 2-921858-86-X 2000/96 p.

Au-delà de la déficience physique ou intellectuelle
Un enfant à découvrir

Francine Ferland

Comment ne pas laisser la déficience prendre toute la place dans la vie familiale ? Comment favoriser le développement de cet enfant et découvrir le plaisir avec lui ?

ISBN 2-922770-09-5 2001/232 p.

Au fil des jours... après l'accouchement

L'équipe de périnatalité de l'Hôpital Sainte-Justine

Un guide précieux pour répondre aux questions pratiques de la nouvelle accouchée et de sa famille durant les premiers mois suivant l'arrivée de bébé.

ISBN 2-922770-18-4 2001/96 p.

Au retour de l'école...
La place des parents dans l'apprentissage scolaire

Marie-Claude Béliveau

Une panoplie de moyens pour aider l'enfant à développer des stratégies d'apprentissage efficaces et à entretenir sa motivation.

ISBN 2-921858-94-0 2000/176 p.

Comprendre et guider le jeune enfant
À la maison, à la garderie

Sylvie Bourcier

Des chroniques pleines de sensibilité sur les hauts et les bas des premiers pas du petit vers le monde extérieur.

ISBN 2-922770-85-0 2004/168 p.

De la tétée à la cuillère
Bien nourrir mon enfant de 0 à 1 an

Linda Benabdesselam et autres

Tous les grands principes qui doivent guider l'alimentation du bébé, présentés par une équipe de diététistes expérimentées.

ISBN 2-922770-86-9 2004/168 p.

Le diabète chez l'enfant et l'adolescent

Louis Geoffroy, Monique Gonthier et les autres membres de l'équipe de la Clinique du diabète de l'Hôpital Sainte-Justine

Un ouvrage qui fait la somme des connaissances sur le diabète de type 1, autant du point de vue du traitement médical que du point de vue psychosocial.

ISBN 2-922770-47-8 2003/368 p.

Drogues et adolescence
Réponses aux questions des parents

Étienne Gaudet

Sous forme de questions-réponses, connaître les différentes drogues et les indices de consommation, et avoir des pistes pour intervenir.

ISBN 2-922770-45-1 2002/128 p.

En forme après bébé
Exercices et conseils

Chantale Dumoulin

Des exercices et des conseils judicieux pour aider la nouvelle maman à renforcer ses muscles et à retrouver une bonne posture.

ISBN 2-921858-79-7 2000/128 p.

En forme en attendant bébé
Exercices et conseils
Chantale Dumoulin

Des exercices et des conseils pratiques pour garder votre forme pendant la grossesse et pour vous préparer à la période postnatale.

ISBN 2-921858-97-5 2001/112 p.

L'enfant adopté dans le monde
(en quinze chapitres et demi)
Jean-François Chicoine, Patricia Germain et Johanne Lemieux

Un ouvrage complet traitant des multiples aspects de ce vaste sujet: l'abandon, le processus d'adoption, les particularités ethniques, le bilan de santé, les troubles de développement, l'adaptation, l'identité...

ISBN 2-922770-56-7 2003/480 p.

L'enfant malade
Répercussions et espoirs
Johanne Boivin, Sylvain Palardy et Geneviève Tellier

Des témoignages et des pistes de réflexion pour mettre du baume sur cette cicatrice intérieure laissée en nous par la maladie de l'enfant.

ISBN 2-921858-96-7 2000/96 p.

L'estime de soi des adolescents
Germain Duclos, Danielle Laporte et Jacques Ross

Comment faire vivre un sentiment de confiance à son adolescent? Comment l'aider à se connaître? Comment le guider dans la découverte de stratégies menant au succès?

ISBN 2-922770-42-7 2002/96 p.

L'estime de soi des 6 - 12 ans
Danielle Laporte et Lise Sévigny

Une démarche simple pour apprendre à connaître son enfant et reconnaître ses forces et ses qualités, l'aider à s'intégrer et lui faire vivre des succès.

ISBN 2-922770-44-3 2002/112 p.

L'estime de soi, un passeport pour la vie

Germain Duclos

Pour développer des attitudes éducatives positives qui aideront l'enfant à acquérir une meilleure connaissance de sa valeur personnelle. (2e édition).

ISBN 2-922770-87-7 2004/248 p.

Et si on jouait?

Le jeu chez l'enfant de la naissance à six ans

Francine Ferland

Les différents aspects du jeu présentés aux parents et aux intervenants: information détaillée, nombreuses suggestions de matériel et d'activités.

ISBN 2-922770-36-2 2002/184 p.

Être parent, une affaire de cœur I

Danielle Laporte

Des textes pleins de sensibilité, qui invitent chaque parent à découvrir son enfant et à le soutenir dans son développement.

ISBN 2-921858-74-6 1999/144 p.

Être parent, une affaire de cœur II

Danielle Laporte

Une série de portraits saisissants: l'enfant timide, agressif, solitaire, fugueur, déprimé, etc.

ISBN 2-922770-05-2 2000/136 p.

Famille, qu'apportes-tu à l'enfant?

Michel Lemay

Une réflexion approfondie sur les fonctions de chaque protagoniste de la famille, père, mère, enfant... et les différentes situations familiales.

ISBN 2-922770-11-7 2001/216 p.

La famille recomposée

Une famille composée sur un air différent

Marie-Christine Saint-Jacques et Claudine Parent

Comment vivre ce grand défi? Le point de vue des adultes (parents, beaux-parents, conjoints) et des enfants impliqués dans cette nouvelle union.

ISBN 2-922770-33-8 2002/144 p.

Favoriser l'estime de soi des 0 - 6 ans

Danielle Laporte

Comment amener le tout-petit à se sentir en sécurité ? Comment l'aider à développer son identité? Comment le guider pour qu'il connaisse des réussites ?

ISBN 2-922770-43-5 2002/112 p.

Grands-parents aujourd'hui

Plaisirs et pièges

Francine Ferland

Les caractéristiques des grands-parents du 21e siècle, leur influence, les pièges qui les guettent, les moyens de les éviter, mais surtout les occasions de plaisirs qu'ils peuvent multiplier avec leurs petits-enfants.

ISBN 2-922770-60-5 2003/152 p.

Guider mon enfant dans sa vie scolaire

Germain Duclos

Des réponses aux questions les plus importantes et les plus fréquentes que les parents posent à propos de la vie scolaire de leur enfant.

ISBN 2-922770-21-4 2001/248 p.

J'ai mal à l'école

Troubles affectifs et difficultés scolaires

Marie-Claude Béliveau

Cet ouvrage illustre des problématiques scolaires liées à l'affectivité de l'enfant. Il propose aux parents des pistes pour aider leur enfant à mieux vivre l'école.

ISBN 2-922770-46-X 2002/168 p.

Le nouveau Guide Info-Parents

Michèle Gagnon, Louise Jolin et Louis-Luc Lecompte

Voici, en un seul volume, une nouvelle édition revue et augmentée des trois Guides Info-Parents: 200 sujets annotés.

ISBN 2-922770-70-2 2003/464 p.

Parents d'ados

De la tolérance nécessaire à la nécessité d'intervenir

Céline Boisvert

Pour aider les parents à départager le comportement normal du pathologique et les orienter vers les meilleures stratégies.

ISBN 2-922770-69-9 2003/216 p.

Les parents se séparent...

Pour mieux vivre la crise et aider son enfant

Richard Cloutier, Lorraine Filion et Harry Timmermans

Pour aider les parents en voie de rupture ou déjà séparés à garder espoir et mettre le cap sur la recherche de solutions.

ISBN 2-922770-12-5 2001/164 p.

La scoliose

Se préparer à la chirurgie

Julie Joncas et collaborateurs

Dans un style simple et clair, voici réunis tous les renseignements utiles sur la scoliose et les différentes étapes de la chirurgie correctrice.

ISBN 2-921858-85-1 2000/96 p.

Le séjour de mon enfant à l'hôpital

Isabelle Amyot, Anne-Claude Bernard-Bonnin, Isabelle Papineau

Comment faire de l'hospitalisation de l'enfant une expérience positive et familiariser les parents avec les différences facettes que comporte cette expérience.

ISBN 2-922770-84-2 2004/120 p.

Les troubles anxieux expliqués aux parents

Chantal Baron

Quelles sont les causes de ces maladies et que faire pour aider ceux qui en souffrent ? Comment les déceler et réagir le plus tôt possible?

ISBN 2-922770-25-7 2001/88 p.

Les troubles d'apprentissage : comprendre et intervenir

Denise Destrempes-Marquez et Louise Lafleur

Un guide qui fournira aux parents des moyens concrets et réalistes pour mieux jouer leur rôle auprès de l'enfant ayant des difficultés d'apprentissage.

ISBN 2-921858-66-5 1999/128 p.